**Capt. Vladimir Voronin
and the *Chelyuskin***

Капитан Владимир Воронин и
«Челюскин»

**Dr. Otto Schmidt
Leader of the Expedition**

Др. Отто Шмидт – начальник
экспедиции

**The camp on the ice
(and astonished local residents)**

Ледовый лагерь (и удивленные местные
жители)

The Seven Heroes of the Soviet Union

Семеро Героев Советского Союза

A.V. Lyapidevsky

А.В. Ляпидевский

V.S. Molokov

В.С. Молоков

N.P. Kamanin

Н.П. Каманин

M.V. Vodopianov

М.В. Водопьянов

I.V. Doronin

И.В. Доронин

S.A. Levanevski

С.А. Леваневский

M.G. Slepnev

М.Г. Слепнев

THE CHELYUSKIN ADVENTURE
ЭПОПЕЯ «ЧЕЛЮСКИНА»

THE CHELYUSKIN ADVENTURE
EXPLORATION, TRAGEDY, HEROISM

ЭПОПЕЯ «ЧЕЛЮСКИНА»
История приключений, трагедии и героизма

<table>
<tr><td>

R.E.G. Davies

with

Yuri Salnikov

Illustrated by Mike Machat

Technical Consultant: Maola Ushakova

</td><td>

Р. Е. Г. Дэвис

и

Юрий Сальников

Художник Майк Мачат

Технический консультант: Маола Ушакова

</td></tr>
</table>

Paladwr Press

This book is dedicated to the memory of all the Chelyuskinians, the pilots who rescued them, and the Chukchi people (and their dogs) who brought them safely to the ship which took them home.

Эта книга посвящается памяти всех челюскинцев, летчиков, пришедших к ним на выручку, и народу чукчей (и их собакам), которые привезли путешественников в целости и сохранности на корабль, доставивший их домой.

Published by Paladwr Press, 1906 Wilson Lane, #101, McLean, Virginia 22102-1957, USA

Manufactured in China

Book Design and Maps by R.E.G. Davies

Research by Yuri Salnikov

Artwork by Mike Machat

Detailed Layout by Hinge Incorporated

Technical Editing by John Wegg

Russian Translation by MultiLingual Solutions

Prepress and Press Management by The Drawing Board

ISBN 1-888962-23-2

Издано Paladwr Press: 1906 Wilson Lane, # 101, McLean, Virginia 22102-1957, USA

Отпечатано в Гонконге

Дизайн и карты Р. Е. Г. Дэвиса

Поисковая работа Юрия Сальникова

Иллюстрации Майка Мачата

Компоновка Hinge Incorporated

Технический редактор Джон Вегг

Перевод на русский язык MultiLingual Solutions

Печать и менеджмент печати – The Drawing Board

ISBN 1-888962-23-2

Contents

Foreword   Introduction 6-7
A Formidable Challenge   Ways Across the Arctic 8-9
The Northeast Passage   Moscow to Vladivostok 10-11
Preparations   Dr. O.J. Schmidt 12-13
The Tasks Ahead   The *Chelyuskin* 14-15
Some Questions   The Route 16-17
Departure   Leningrad-Murmansk 18-19
Off to the Arctic   The Barents Sea 20-21
Early Problems   The Kara Sea 22-23
Call for the Ice-Breaker   The *Krasin* 24-25
Early Diversions   Uyedineniya Island 26-27
Northern Digression   The Shavrov Sh-2 28-29
Onward to the East   Obstacles to Progress 30-31
Struggling On   The First Evacuation 32-33
End of the Voyage   The *Litke* 34-35
The Drift   of the Chukchi Sea 36-37
Desperate Hours   The Final Moments 38-39
The Force of Nature   No Escape 40-41
Setting Up Camp   Salvage 42-43
Settling In   Accommodation. 44-45
Life in the Camp   Entertainment 46-47
Special Efforts   Special Problems 48-49
The News Spreads   Rescue Plans 50-51
Airmen to the Rescue   The Ice Camp Prepares 52-53
Rescue Frustrations   Lyapidevsky Gets Through 54-55
Nikolai Kamanin   Polikarpov R-5 56-57
Vasili Molokov   Siberian Destiny 58-59
Mikhail Vodopianov and Iven Doronin   Junkers-F 13 60-61
Sigismund Levanevsky and Mavriki Slepnev   Consolidated Fleetster 62-63
Mikhail Babushkin   Airplane Scrapbook 64-65
The Rescue   Schmidt is Evacuated 66-6/
Parachute Boxes   Bobrov Takes Over 68-69
Mission Accomplished   Dr. Ernst Krenkel 70-71
Well-earned Recognition   They Also Served 72-73
Homeward Bound   Official (and Unofficial) Welcomes 74-75
The Big Parade   Honours and Celebrations 76-77
Molokov Goes Home   Grand Tour Completed 78-79
Reunion at Providenya   Celebrations 50 years later 80-81
Veteran Airmen Meet Again   The Accolade 82-83
Epilogue   The Northern Sea Route Today 84-85
Roll of Honour 86-92
Index 93-94

Maps

Ways Across the Arctic 9
Moscow to Vladivostok 11
Route of the *Chelyuskin* 17
Leningrad-Murmansk 19
The Barents Sea 21
The Kara Sea 23
Uyedineniya Island (and location) 27
The Laptev Sea 29
Wrangel Island (and location) 31
The East Siberian Sea 33
Route of the *Litke* 35
Tour of the Chukchi Sea 37
Eastern Siberia compared to the United States 52
The *Chelyuskin*'s Last Minutes 41
The Trail (and Trials) of Lyapidevsky 54
Nikolai Kamanin and Vassili Molotov - R-5s to the Rescue 56
Siberian Destiny (Molokov's Career) 59
Mikhail Vodopianov and Ivan Doronin 60
Sigismund Levanevsky and Mavriki Slepnev - Westbound to Chukotka 62
Mavriki Slepnev brings Otto Schmidt home 67
The Final Journey Begins 74
Grand Tour Completed 79
The Northern Sea Route Today 85

Machat Profile Drawings

Shavrov Sh-2 29
ANT-4 55
Polikarpov R-5 57
Junkers L-5 (F 13) 61
Consolidated Fleetster 63

Acknowledgements

The Voyage of the Chelyuskin, by Members of the Expedition: New York, The Macmillan Company, 1935
How We Rescued the Chelyuskians, by O.J. Schmidt, I.L. Baevsky, and L.Z. Mekhlis: Moscow, Pravda, 1934
The Camp on the Icefield, by Sophia Mogilevska: London, George Routledge & Sons, 1938
Fleetster records by Richard Allen

Содержание

Предисловие   Введение 6-7
Смелый вызов   Пути через Арктику 8-9
Северо-Восточный проход   Из Москвы во Владивосток 10-11
Подготовка путешествия   Д-р. Отто. Шмидт 12-13
Предстоящие задачи   «Челюскин» 14-15
Некоторые вопросы   Маршрут 16-17
Отплытие   Ленинград - Мурманск 18-19
Отправление в Арктику   Баренцево море 20-21
Первые трудности   Карское море 22-23
Вызов ледокола   «Красин» 24-25
Незапланированные события   Остров Уединения 26-27
Отклонение к северу   «Шавров Ш-2» 28-29
Продвижение на восток   Новые препятствия 30-31
Борьба продолжается   Первая эвакуация 32-33
Конец плавания   «Литке» 34-35
Дрейф   по Чукотскому морю 36-37
Часы безысходности   Последние минуты 38-39
Сила природы   Выхода нет 40-41
Спасательные работы   Лагерь на льдине 42-43
Обустройство   Жилищные условия 44-45
Жизнь в лагере   Развлечения 46-47
Особые усилия   Особые проблемы 48-49
Новости распространяются   Планы спасения 50-51
Летчики отправляются на поиски   Ледовый лагерь готовится 52-53
Неудачи поиска   Ляпидевский прорывается 54-55
Николай Каманин   «Поликарпов Р-5» 56-57
Василий Молоков   Сибирская судьба 58-59
Михаил Водопьянов и Иван Доронин   «Юнкерс Ф13» 60-61
Сигизмунд Леваневский и Маврикий Слепнев   «Флейтстер» с двойной регистрацией 62-63
Михаил Бабушкин   Портреты самолетов 64-65
Спасение   Шмидт эвакуирован 66-6/
Парашютные ящики   Бобров принимает руководство 68-69
Задача выполнена   Д-р. Эрнст Кренкель 70-71
Заслуженное признание   Они тоже участвовали 72-73
Путь домой   Официальные (и неофициальные) чествования ...74-75
Большой парад   Награды и торжества 76-77
Молоков возвращается домой   Завершение великого маршрута 78
Памятная встреча в Провидении   Торжество через 50 лет 80-81
Встреча с летчиками-ветеранами   Почести 82-83
Эпилог   Северный Морской Путь сегодня 84-85
Почетный список челюскинцев 86-92
Алфавитный указатель 95-96

КАРТЫ

Пути через Арктику 9
Из Москвы во Владивосток 11
Маршрут «Челюскина» 17
Ленинград – Мурманск 19
Баренцево море 21
Карское море 23
Остров Уединения (географическое положение) 27
Море Лаптевых 29
Остров Врангеля (географическое положение) 31
Восточно-Сибирское море 33
Маршрут «Литке» 35
Проход по Чукотскому морю 37
Восточная Сибирь по сравнению с США 52
Последние минуты «Челюскина» 41
Маршруты Ляпидевского 54
Николай Каманин и Василий Молоков – «Р-5» летят на выручку 56
Сибирская судьба (карьера Молокова) 59
Михаил Водопьянов и Иван Доронин 60
Сигизмунд Леваневский и Маврикий Слепнев – на Чукотку с запада 62
Маврикий Слепнев доставляет Отто Шмидта домой 67
Заключительный этап путешествия 74
Завершение великого путешествия 79
Северный Морской путь сегодня 85

Рисунки и чертежи Майкла Мачата

«Шавров Ш-2» 29
«АНТ-4» 55
«Поликарпов Р-5» 57
«Юнкерс Ф13» 61
«Флейтстер» 63

Литература

«Путешествие «Челюскина» в воспоминаниях участников экспедиции»: Нью Йорк, Макмиллан компани, 1935.
«Как мы спасали Челюскинцев» О. Ю. Шмидт, Л. Л. Баевский и Л. З. Мехлис: Москва, Правда, 1934.
«Лагерь на льдине» Софья Могилевская: Лондон, Джордж Ротлидж и Сыновья, 1938.
«Флейтстер» Хроники Ричарда Аллена.

Foreword

Предисловие

Early in 1974, a small convoy of ships, led by the Vladivostok, a powerful modern ice-breaker, broke through the Arctic pack-ice en route to the Pacific Ocean. At 3:30 p.m. on 13 February, before it reached the Bering Strait, at a position 68° 18' N, 172° 51" W, the captain dropped a wreath, about 75 miles (120 kilometers) from the Chukotka Peninsula of the northeastern Siberian coast. This marked the exact place, at the exact time, the 40th anniversary of the dramatic sinking of the *Chelyuskin*, the ship that carried Dr. Otto Schmidt's scientific expedition of 1933/34.

On board the *Vladivostok* was the film producer Yuri Salnikov, who is the co-author of this book. He had already made a remarkable television documentary that included extensive film footage taken by the official photographer who was on board the ill-fated ship forty years previously.

Now, 30 years later still, Yuri joins with historian/author R.E.G. (Ron) Davies to remember once again that dramatic event that occurred (to quote the immortal words of a famous American President) three score and ten years. They have done so through the medium of this dual-language book, which tells the full story of **The Chelyuskin Adventure**. It describes Captain Voronin's desperate attempts to escape the grip of the pack-ice, the tragic fate of the ship, the disciplined construction of the ice-camp, and the heroic rescue by the seven pilots. Sadly, none of the passengers, the crew, or the pilots, except for the two Chelyuskin babies, are still with us today.

This was the first time in history when lives were saved by airplanes. It would make a good adventure story, even as fiction; but this one is true.

В начале 1974 года группа кораблей, ведомых мощным современным ледоколом «Владивосток», проходила через арктические паковые льды в Тихий океан. 13 февраля в 15:30, не дойдя до Берингова пролива, капитан бросил якорь на 68° 18' северной широты, 172° 51" восточной долготы примерно в 75 милях (120 км) от Чукотского полуострова северно-восточного побережья Сибири. Это произошло на том самом месте и в то самое время, когда ровно сорок лет назад затонул «Челюскин» - корабль, везший научную экспедицию Отто Юльевича Шмидта 1933/34 гг.

На борту «Владивостока» находился кинорежиссер Юрий Сальников, вместе с которым написана эта книга. Ранее он создал замечательный телевизионный документальный фильм с использованием многочисленных съемок, сделанных оператором экспедиции, находившемся на несчастливом корабле в 1934 году.

Сегодня спустя еще 30 лет Юрий и автор и историк Р.Е.Г. (Рон) Дэвис снова возвращаются к тем драматическим событиям, которые произошли, как говорил один великий американский president,«трижды двадцать и еще десять» лет тому назад. В этой книге с параллельным текстом на двух языках они рассказывают всю историю **эпопеи «Челюскина»**. Отчаянные попытки капитана В.И. Воронина выбраться из ледового плена, трагическая судьба корабля, согласованность действий участников строительства ледового лагеря, а также героизм семерых летчиков, пришедших к ним на выручку. К сожалению, из всех участников эпопеи сегодня осталось только двое детей, находившихся на корабле.

Это был первый случай в истории, когда самолеты использовались для спасения человеческих жизней. Такой сюжет мог бы быть увлекательной художественной приключенческой повестью, однако же, это произошло на самом деле.

Introduction

Введение

In 1989, Yuri Salnikov visited Washington, D.C., on an international fellowship, and I saw his documentary film of the *Chelyuskin* rescue. I was mightily impressed, especially to see film footage of the rescue itself, even of airplanes landing on the ice-camp. The cameraman on board the ship had done a truly remarkable job, in far from ideal circumstances.

I discussed with Yuri the idea of a Paladwr Press book that would commemorate the 70th anniversary of the event, drawing upon his records while making his film, and referring to out-of-print books that had appeared in the 1930s, but which did not gain much attention world-wide. Yuri had also unearthed an unpublished manuscript that filled in many gaps of the heroic story that had previously received scant world-wide attention.

While lacking the drama of the almost incredible saga of Ernest Shackleton's marvellous Antarctic survival and rescue in 1914, the discipline and judgment of Otto Schmidt, the seamanship of Captain Voronin, and the determined airmanship of the pilots who rescued the entire ship's complement: all these deserve a long-overdue revived recognition. The entire episode, from the 1933 summer departure from Leningrad to the 1934 early spring rescue, lasted eleven months. The celebration in Moscow was equivalent to a New York ticker-tape parade.

In 1937, Pananin's sojourn at the North Pole, and Chkalov's and Gromov's non-stop trans-polar flights from Moscow to the west coast of the United States, did remind the world that Soviet aviation was capable of remarkable achievement. But somehow, the triumphant rescue work of the aviators of March and April 1934, in bringing back 104 stranded shipwrecked survivors, was relegated into comparative obscurity.

And so the idea of a book to recapture the memories of the great *Chelyuskin* adventure was born. At first it was to have been one of Paladwr's Library series, but this soon gave way to a more ambitious work. The result is the twelfth in that Press's acclaimed pictorial series, complete with maps that emphasize the trials and tribulations of the doomed ship and its occupants; scores of photographs; and a selection of Mike Machat's precision drawings of the aircraft involved, including the brave little Shavrov Sh-2 that was there from start to finish. We hope, especially, that Paladwr's *Chelyuskin* will serve as a tribute to the team of aviators and the brave Chelyuskinians who deservedly were the first Heroes of the Soviet Union.

В 1989 году Юрий Сальников был в Вашингтоне по международному обмену и показывал свой документальный фильм об эпопее «Челюскина». Я был потрясен съемками хода операции и особенно посадкой самолетов на льдины. Оператор на борту корабля проделал замечательную работу в исключительно трудных условиях.

Я обсудил с Юрием идею выпуска книги Паладвр Пресс, которая могла бы освежить события 70-летней давности на основе его записей, сделанных при съемке фильма, где были ссылки на давно непереиздававшиеся книги, выпущенные в 30-х годах. Юрий также раскопал неопубликованную рукопись, заполняющую многие пробелы этой героической истории, которая ранее не привлекла достаточного внимания мировой общественности.

И хотя в этой истории не было такого драматизма, как в невероятной саге Антарктического выживания и спасения Эрнеста Шэклтона в 1914 году, выдержка и мудрость Отто Шмидта, мастерство судовождения капитана В. И. Воронина, и летное мастерство пилотов, спасших экипаж целого судна, - все это давно заслуживало должного признания. Все путешествие с момента выхода из Ленинграда летом 1933 года до спасения ранней весной 1934 длилось одиннадцать месяцев. Празднование в Москве было сравнимо по масштабу с парадом Тикер-Тейп в честь национальных героев США в Нью-Йорке.

События 1937 года, такие как экспедиция Папанина на Северный полюс и беспосадочные перелеты Чкалова и Громова от Москвы до западного побережья Соединенных Штатов, напомнили миру о замечательных успехах и возможностях Советской авиации. Однако же триумфальная акция авиаторов в марте и апреле 1934 года, в ходе которой было спасено 104 высадившихся на лед членов экспедиции, была предана относительному забвению.

Так родилась идея книги, которая восстановила бы память о великой экспедиции «Челюскина». Первоначально она должна была стать частью Библиотечной серии издательства Паладвр, но скоро превратилась в более масштабный проект. В результате получилась двенадцатая по счету книга в хорошо известной иллюстрированной серии издательства. Книга снабжена картами, которые отражают испытания и лишения обреченного корабля и его экипажа, множеством фотографий и подборкой детальных изображений самолетов, принимавших участие в спасении, выполненных Майком Мачатом и включающих изображение храброго маленького самолета Ш-2, который прошел все испытания от начала до конца. Мы очень надеемся, что книга «Эпопея «Челюскина» будет памятником смелым челюскинцам и команде авиаторов, которые заслуженно стали первыми Героями Советского Союза.

Ron Davies (Рон Дэвис)

Yuri Salnikov (Юрий Сальников)

Mike Machat (Майк Мачат)

7

A Formidable Challenge

The name *Chelyuskin* will not be known to many American aviation folk, except, perhaps, to a few old-timers in Alaska. And even in Russia, few personal recollections go back the three score years and ten to the dramatic years of the *Chelyuskin* adventure. But such memories are worthy of special notice seven decades later, to commemorate the drama and courage that Soviet sailors, scientists, and airmen displayed during the winter of 1933–34.

In the summer of 1933, the good ship *Chelyuskin* was made ready and sailed from Leningrad to confirm that, with the help of ice-breakers, the Northeast Passage, or the Northern Sea Route, across the Arctic Ocean, was practicable. Following at times the shores of northern Siberia, this could be a solution to the transport of people and goods to the Russian Far East, via the Bering Strait, to reach the Pacific Ocean port of Vladivostok.

Unfortunately, the ship was not sturdy enough to withstand the forces of Nature—specifically the irresistible pressures of Arctic pack-ice. The ice-breakers were not able to force the way through. In the Bering Strait, within a few miles of open water, with the Pacific Ocean in sight, the ice took a firm grip on the *Chelyuskin*. Powerful currents carried the ice-bound ship back 200 miles, then the ice crushed it so that it sank.

The resourceful crew and scientific expedition, numbering 104 souls, and headed by Dr. Otto Schmidt, salvaged much of the supplies and equipment on board, and set up camp on the ice. They were about 80 miles from the nearest land, and such was the rugged nature of the mass of ice that a trek to the shore was out of the question. However, the expedition was well-equipped with radio, and the castaways were able to seek help from Moscow. The call went out to all the leading Soviet aviators, names that are little known outside Russia today, but who deserve an honored place in aviation history. By various routes, and enduring much hardship, they made their way, laboriously, to the extreme northeastern region of Siberia, where the few airfields were primitive. The journey from the nearest point on the Trans-Siberian Railway alone stretched about 2,000 miles—the width of the United States—away from the regular trade routes across the vast Asian continent.

Of the 104 people on board the stricken vessel, all except one (who unluckily slipped and fell off the icy deck of the ship into the frigid water) were flown to safety. The achievement had all the elements of adventure, exploratory zeal, and inspired courage: elements that would qualify for a fictional story in the Jules Verne tradition. But this was a true saga of epic proportions, even to be compared to the unique voyage of Ernest Shackleton. The *Chelyuskin* must be remembered anew; and Paladwr Press feels privileged to be able to tell the story.

Смелый вызов

Имя «Челюскин» неизвестно большинству американских авиаторов, за исключением некоторых старожилов Аляски. И даже в России мало кто возвращается на семь десятилетий назад ко времени драматического похода «Челюскина». Семьдесят лет спустя стоит вновь вспомнить и воздать должное мужеству и смелости русских моряков, ученых и авиаторов, проявленным в 1933-1934 годах.

Летом 1933 года корабль «Челюскин» был готов отправиться в плавание из Ленинграда, чтобы доказать практическую возможность прохождения с помощью ледоколов Северо-восточного прохода или Северного Морского пути по Северному Ледовитому океану. Движение вдоль северных берегов Сибири могло бы обеспечить транспорт людей и товаров через Берингов пролив на Дальний восток в тихоокеанский порт Владивосток.

К несчастью, корабль оказался недостаточно прочным, чтобы противостоять силам природы, и особенно сильнейшему давлению арктического дрейфующего льда. Ледоколам не удавалось пробить себе дорогу. В Беринговом проливе, на расстоянии нескольких миль от открытой воды, когда на горизонте уже показался Тихий океан, «Челюскин» застрял во льдах. Мощное течение сначала отнесло закованный в лед корабль на 200 миль назад, затем льды раздавили его, и он затонул.

Отважный экипаж и участники научной экспедиции, насчитывающие 104 человека, во главе с Отто Шмидтом спасли большую часть провианта и оборудования с корабля и разбили на льду лагерь. Они были примерно в 80 милях от северного берега, но из-за непроходимой массы льда переход на берег был невозможен. К счастью, экспедиция имела хорошую радиостанцию, и потерпевшие могли просить помощи из Москвы. На их призыв были посланы ведущие советские авиаторы, имена которых заняли почетное место в истории авиации, но, к сожалению, мало известны за пределами России. Разными путями, преодолевая колоссальные трудности, они пробивались через северо-восточную оконечность Сибири, где имелось несколько примитивных аэродромов. Расстояние до ближайшей станции Транссибирской магистрали составляло около 2000 миль (ширина Соединенных Штатов) по огромной территории Евроазиатского континента вдали от всех дорог.

Из 104 участников экспедиции затонувшего корабля, все, кроме одного, который неудачно поскользнулся и упал с палубы в ледяную воду, были спасены летчиками. Эта успешная операция по всем признакам была настоящим приключением, в котором проявились и энтузиазм первопроходцев, и их ис-

ключительное мужество, достойные пера Жюль Верна. Однако же это правдивая героическая эпопея, которая может быть поставлена в один ряд с уникальным путешествием Эрнста Шэклтона. Мы должны вспомнить имя «Челюскин», и издательство Paladwr Press гордится возможностью поведать эту историю.

O.J. Schmidt and Captain V.I. Voronin look glumly at the stricken ship as it is gripped in the unforgiving ice. Such cracks that appeared, as in this photograph, gave false hopes, as they closed up almost as soon as they appeared.

О. Ю. Шмидт и капитан В.И. Воронин хмуро смотрят на корабль, попавший в ледовый плен. Трещины, которые видны на этой фотографии, не давали надежды на спасение корабля, так как исчезали так же быстро, как появлялись.

Ways Across the Arctic

Пути через Арктику

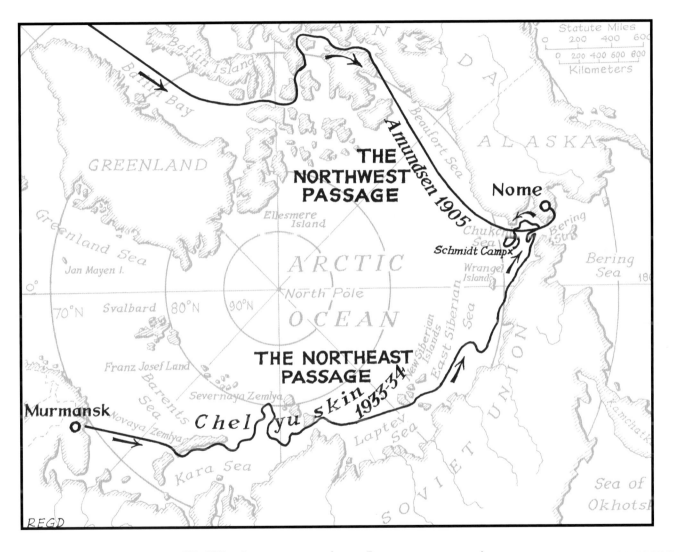

Before the development of powerful ice-breakers, following the Second World War, the sea routes across the Arctic Ocean had always proved far too hazardous for commercial use. The Northwest Passage had been the grave of many brave explorers, and the ships that tried to break through, as with the northeastern route, were invariably, and quite literally, stuck in the ice. Amundsen's voyage of 1905 and the expedition of the ice-breaking ship "Sibiryakov" in the Northeast Passage of 1932 were praiseworthy — but they were exceptional achievements.

До появления мощных ледоколов все известные морские пути через Северный Ледовитый океан были слишком опасны для коммерческого использования. Северо-западный проход стал могилой для многих отважных исследователей. Корабли, которые пытались пройти как по Северо-западному, так и по Северо-восточному пути, неизменно застревали во льдах. Успешное путешествие Амундсена 1905 года и поход ледокольного парохода «Сибиряков» по Северо-восточному пути 1932 года являются исключениями, достойными восхищения.

9

The Northeast Passage

Северо-восточный проход

Over the centuries of mercantile commerce, European shipping nations contemplated, planned, and unsuccessfully explored possible routes to the Pacific Ocean via the Arctic Ocean. Routes eastwards via India and the Far East via the Cape of Good Hope, or westwards via the Americas around Cape Horn, were long and circuitous. The Suez Canal, opened for traffic in 1869, and the Panama Canal, opened in 1914, cut the journey considerably; but the sea journey from the Atlantic to the Pacific was still long and arduous. Routes via the Arctic Ocean seemed attractive because they were shorter.

The tortuous Northwest Passage via Canada proved impossible. Many courageous explorers froze or starved to death in the attempt. Attempts by Ross, Franklin, Parry, and McClure during the 19th Century resulted in failure or tragedy. Not until 1903–05, by the great Norwegian, **Roald Amundsen**, in the *Gjöa*, was the complete journey accomplished. During the Second World War, a round trip was made by the 88-ton schooner *St. Roch*, captained by Sergeant Henry Larsen, of the Royal Canadian Mounted Police. The journey took more than two years from Vancouver to Halifax; but the R.C.M.P. managed to return in a single season.

The Northwest Passage was effectively un-navigable, unless by a massive assault by powerful ice-breakers. In 1969, led by two of these specialized ships, a 150,000-ton, 1,000-foot long oil tanker, the Manhattan, ploughed its way through from Alaska to the east coast. But on the return journey, the ice won. It holed the tanker's hull, and the Northwest Passage remained a dream.

The Northeast Passage, or the Northern Sea Route, was more direct. A voyage from Murmansk (open year-round, thanks to the Gulf Stream Drift) to the Bering Strait via the northern Siberian seas, then to Vladivostok, was apparently possible. Ice-breaking ships offered the chance of leading ships through channels of open water. Such a route would also connect the Western Soviet naval bases of Murmansk, Kronstadt, and Archangelsk with the Pacific naval bases of Vladivostok and Petropavlovsk.

As early as 1596, explorers had ventured into the Arctic Ocean. In that year, the Dutch navigator, **Willem Barents**, sailed north to Spitzbergen and east to Novaya Zemlya (where he later lost his life). The Northern Sea Route was mapped in 1733 by the Danish navigator, **Vitus Bering**, serving in the Imperial Russian Navy, and the Strait between Asia and North America is named after him. In 1725, S.I. *Chelyuskin* reached the northernmost point of the Eurasian continental land-mass in 1742, and the Cape was named after him. **Adolf Nordensheld**, in the Swedish ship Vega, made the first complete Northern Sea Route transit. He started in 1878, but had to winter in Kolyuchinskaya Guba, in northeastern Siberia, and only returned to Stockholm in 1880. In 1893, the great Norwegian, **Fritjof Nansen**, went as far east as the Novosibirskiye

Ostrova, and spent three years drifting back to Spitzbergen in the *Fram*.

In 1913, two ships, the *Taymyr* and the *Vaygach*, sailed from Vladivostok to the west, but they arrived at Archangelsk only in 1915. Roald Amundsen once again succeeded in conquering the Arctic in 1917, when he took the ***Maud*** through the Northern Sea Route.

The Soviet Union sought to revive the dream of a year-round Northeast Passage. In 1932, the ***Siberiakov*** had managed to reach Vladivostok, but had difficulties. Hopes were raised that this voyage could be repeated, and, with ice-breakers, could do so more successfully. The following year, therefore, the ***Chelyuskin*** set off to elevate the chances from the possible to the probable. It did not succeed. It started off as an expedition, evolved into an adventure, ended in disaster, and, by a blend of organization, courage, and heroism, became an historic episode in both shipping and aviation history.

За века развития торговли европейские морские державы безуспешно пытались найти удобный путь в Тихий океан через Северный Ледовитый. Маршруты в восточном направлении через Индию, Дальний восток и мыс Доброй Надежды, а также в западном направлении через Америку вокруг мыса Горн были слишком протяженными. Открытие Суэцкого канала в 1869 году и Панамского канала в 1914 году существенно сократили длину пути, однако путешествие из Атлантического океана в Тихий все еще оставалось длинным и тяжелым. Путь через Северный Ледовитый океан был гораздо короче и потому привлекательнее.

Извилистый Северо-западный путь через Канаду оказался непроходимым. В попытках преодолеть его замерзло и умерло от голода много храбрых исследователей. Экспедиции Росса, Франклина, Пэрри и МакКлара в 19-ом столетии закончились трагически. И только в 1903-05 годах великий норвежец **Руаль Амундсен**, на «*Йоа*» сумел удачно завершить путешествие. В ходе Второй Мировой войны 88-тонная шхуна *Св. Рох* под командованием сержанта Канадской королевской конной полиции Генри Ларсена успешно прошла этот путь и вернулась обратно. Путешествие из Ванкувера в Галифакс занимало более двух лет, однако Ларсену удалось вернуться за один сезон.

Северо-западный путь был проходим только при поддержке мощных ледоколов. В 1969 году два таких ледокола проложили дорогу во льдах для нефтяного танкера «Манхэттэн», который имел длину 1000 футов и водоизмещение 150000 тонн. Но на обратном пути лед все-таки победил. Кор-

пус танкера пробило, а Северо-западный путь так и остался мечтой.

Северо-восточный проход или Северный Морской путь был более прямым. Путь из Мурманска (открытого круглый год благодаря течению Гольфстрим) в Берингов пролив через северные сибирские моря и далее во Владивосток казался вполне реальным. Ледоколы давали возможность прохождения другим судам по разводьям. Такой маршрут также мог бы соединить Советские военно-морские базы на западе в Мурманске, Кронштадте и Архангельске с базами Тихоокеанского ВМФ во Владивостоке и Петропавловске-Камчатском.

Путешествия по Северному Ледовитому океану начались в 1596, когда голландский навигатор **Виллем Баренц**, прошел на север Шпицбергена и далее до Новой Земли (где впоследствии погиб). Северный Морской путь был нанесен на карту в 1733 году датским навигатором **Витусом Берингом**, который служил в Российском императорском военно-морском флоте. Его именем был назван пролив между Евразией и Северной Америкой. В 1725 году **С. И. Челюскин** достиг самой северной точки Евроазиатского континента, и в 1742 году мыс Челюскин назвали в его честь. **Адольф Норденшельд** совершил первое полное путешествие Северным Морским путем на шведском корабле «*Вега*». Он вышел в море в 1878 году, но вынужден был зазимовать в Колючинской Губе в северо-восточной Сибири, и вернулся в Стокгольм только в 1880 году. В 1893 году великий норвежец **Фритьоф Нансен** на «*Фраме*», дошел до Новосибирских островов и провел три года, дрейфуя назад на Шпицберген.

В 1913 году два корабля «*Таймыр*» и «*Вайгач*» вышли из Владивостока на запад, но им удалось прибыть в Архангельск только в 1915 году. Руаль Амундсен еще раз покорил Арктику в 1917 году, когда успешно провел свой «*Мод*» по Северному Морскому пути.

Советский Союз хотел возродить мечту о прохождении Северо-восточного пути за один год. В 1932 году «*Сибиряков*» сумел преодолеть все трудности и дошел до Владивостока. Появилась надежда на то, что с участием ледоколов этот путь может быть пройден более успешно. Поэтому в следующем году «*Челюскин*» отправился в путь, чтобы доказать, что это возможно. Он не достиг цели. Сначала это была экспедиция, которая превратилась в приключение, и закончилась как трагедия; при этом все развитие событий в сочетании с мужеством и героизмом их участников делает эту экспедицию одним из исторически значимых эпизодов в развитии мореплавания и авиации.

Moscow to Vladivostok

Из Москвы во Владивосток

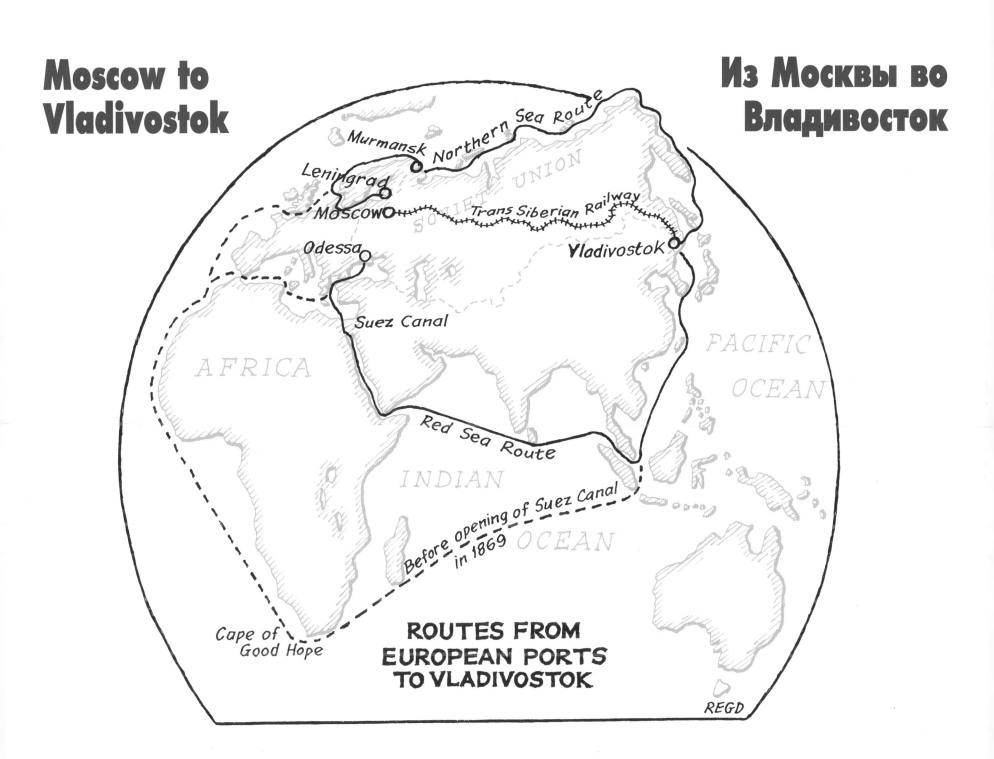

Murmansk Northern Sea Route

Leningrad

Moscow

Trans Siberian Railway

Vladivostok

Odessa

SOVIET UNION

Suez Canal

AFRICA

Red Sea Route

INDIAN

PACIFIC OCEAN

Before opening of Suez Canal in 1869

OCEAN

Cape of Good Hope

ROUTES FROM EUROPEAN PORTS TO VLADIVOSTOK

REGD

Preparations

The Expedition

From the beginning of its existence, the Main Directorate of Northern Sea Routes concentrated on organizing a scientific expedition on a steamship which was to make a complete west-to-east voyage, from the Baltic Sea to Vladivostok. The events of the 1933–34 saga of the *Chelyuskin* were to have a significant influence on all future exploration of the Arctic Ocean. While this gallant ship eventually foundered, the results of the experience, and the considerable research that was accomplished, substantially contributed to scientific and geographical knowledge of the unforgiving Arctic.

Some of these research results were published in contemporary books about the *Chelyuskin's* adventure, including many personal memoirs. Some original materials are still scattered in numerous archives or in private possession as family mementos. The October Revolution Central State Archives have kept some correspondence, concerning the testing and launching of the Lena, later renamed the *Chelyuskin*. The scientific library of the Museum of Arctic and Antarctic in St. Petersburg has Volumes 1 to 5 and Volume 7 of Captain Voronin's diaries; but Volume 6 perished during the hasty evacuation from the ship to the ice-flow. The library also has the scientific observation register and authentic route charts.

Kuibyshev's Three-Point Plan

The idea of a new through voyage had been initiated by the Main Directorate for Northern Sea Routes. It was supported by V.V.Kuibyshev, vice-chairman of the Sovnarkom (Council of the People's Commissaries). In a message dated 30 March 1933 to the C.P.S.U. Central Committee, he wrote: "The *Sibiriakov* steamer expedition of 1932 has opened new prospects in the exploration and use of the North Polar shipping lane. In the current year of 1933, it is necessary to repeat this expedition in one of the ice-breaking vessels... During this second expedition, the following questions are to be solved:

(1) Checking and providing final proof of the feasibility of the Arctic Ocean passage within a single season.
(2) Corroborating the results of the *Sibiriakov* observations for planning a future shipping lane.
(3) Victualling Wrangel Island because it has not been supplied for four years.

The ship should then remain in the Far East, for continued work in the eastern Arctic Ocean."

Appointment of Otto Schmidt

In 1933, the Soviet government suggested to the GUSMP (Main Directorate for Northern Sea Routes) that the Arctic voyage should be carried out under the personal supervision of Comrade Otto Schmidt, and that the ship should supply Wrangel Island with victuals, equipment, radio-station personnel, etc., and in return it should bring back fur-skins from the island. Dr. Schmidt was consequently appointed as head of the expedition, and I.A.Kopusov and I.L. Bayevsky were assigned as his assistants.

In an interview given after the disaster on the subsequent drifting ice-floe to Boris Gromov, a fellow-Chelyuskinian and an *Izvestia* newspaper correspondent, Schmidt said that the expedition had been conceived as a general test of the whole North Polar shipping route, with the specific aim to establish the most suitable type of cargo ship; and to examine the arrangements necessary to ensure safe operations in the future. In addition, the land-surveyor, Ya. Ya. Gakkel, an active participant in the expedition, regarded the voyage as a unique opportunity to explore and study the natural history and navigational aspects of the Arctic Ocean.

Подготовка путешествия

Экспедиция

С начала своего существования Главное Управление Северного Морского Пути (ГУСМП) сконцентрировало свои усилия на организации научной экспедиции на корабле, который мог бы совершить плавание в запада на восток, от Балтийского моря до Владивостока. События 1933-34 годов, связанные с «Челюскиным», оказали существенное влияние на будущее освоения Северного Ледовитого океана. Несмотря на гибель отважного корабля, приобретенный опыт и значительные научные результаты, полученные экспедицией, внесли существенный вклад в географическую науку об этом суровом крае.

Полученные тогда научные результаты описаны в современных книгах о путешествии «Челюскина», а также в опубликованных личных воспоминаниях. Часть подлинных материалов хранится в различных архивах или частных коллекциях, как семейные реликвии. В Центральном Государственном Архиве Октябрьской Революции хранится переписка об испытаниях и спуске на воду «Лены», позже переименованной в «Челюскин». В научной библиотеке музея Арктики и Антарктики в Санкт-Петербурге имеются тома с 1-го по 5-ый и том 7-ой дневника капитана В.И. Воронина, том 6-ой был утерян при спешной эвакуации с корабля на льдину. В библиотеке также хранится лабораторный журнал научных наблюдений и подлинные судовые журналы.

Куйбышевский мат в три хода

Идея нового похода была предложена ГУСМП. Она была поддержана В.В. Куйбышевым, зам. Председателя Совнаркома (Совета Народных Комиссаров). В обращении к Центральному Комитету ВКП(б), датированном 30 марта 1933 года, он писал: «Экспедиция «Сибирякова» 1932 года открыла новые возможности изучения и использования Северного Морского пути. В текущем 1933 году необходимо повторить эту экспедицию на одном ледокольном судне… В ходе второй экспедиции должны быть решены следующие вопросы:

(1) Проверка и окончательное доказательство возможности прохождения через Северный Ледовитый океан за один навигационный сезон.
(2) Подтверждение результатов наблюдений «Сибирякова», для планирования будущего морского пути.
(3) Снабжение острова Врангеля, не получавшего поставок в течение четырех лет.

Корабль должен остаться на Дальнем Востоке для продолжения работы в восточном районе Северного Ледовитого океана.»

Назначение Отто Шмидта

В 1933 году Советское правительство рекомендовало ГУСМП провести Арктическую экспедицию под личным руководством товарища Отто Шмидта. Корабль должен был доставить на о. Врангеля провиант, оборудование, персонал радиостанции и т.п., а затем на обратном пути привезти с острова пушнину. Д-р. Шмидт был назначен главой экспедиции, а И.А. Копусов и И.Л. Баевский - его помощниками.

После всех перипетий на дрейфующей льдине в интервью Борису Громову, собрату-челюскинцу и корреспонденту газеты «Известия» Шмидт сказал, что экспедиция задумывалась как генеральная проверка всего Северного Морского пути с особой целью выяснения наиболее пригодного типа корабля и методов планирования безопасности будущих операций. Кроме этого, геодезист Я. Я. Гаккель, активный участник экспедиции, рассматривал путешествие как уникальную возможность изучения природы и аспектов навигации Северного Ледовитого океана.

Dr. O.J. Schmidt

Д-р. О. Ю. Шмидт

The Objectives

So, in essence, what were the main objectives of sending a new big expedition to the Arctic, other than to repeat the voyage of the Sibiriakov the year before, and perhaps to complete the journey in one season, rather than having to spend the winter in the grip of the Arctic ice in the far reaches of northeast Siberia?

The wider profile of the work to be carried out is reflected in its scientific program, drawn up by the All-Union Arctic Institute. The preface to the "Composite Plan of Scientific-Exploratory Work of the Expedition" specified that:

The passage through the North Polar shipping route from the Atlantic Ocean to the Pacific Ocean, is exceptionally interesting from the viewpoint of science and exploration:

1. **It must demonstrate that the passage of the route can be accomplished within one navigation period for normal shipping during the winter.**

2. **It can take the opportunity to visit hitherto unexplored areas.**

3. **It can compare and confirm the data compiled in 1932 by the *Sibiriakov*.**

Цели

Какова же собственно была главная цель новой большой экспедиции в Арктику кроме повторения проведенного годом ранее похода «Сибирякова» и завершения маршрута за один сезон? Уж никак не зимовка в ледяном капкане Арктики на просторах северо-восточной Сибири.

Согласно научной программе Всесоюзного Института Арктики экспедиция была призвана провести широкий спектр работ. В предисловии к «Общему плану научно-исследовательской работы экспедиции» было сказано:

Переход по Северному Морскому пути из Атлантического океана в Тихий представляет огромный научно-исследовательский интерес:

1. **Экспедиция должна продемонстрировать возможность прохождения этого пути за один навигационный сезон неледокольным судном в зимний период).**

2. **Дает возможность посещения не исследованных ранее районов.**

3. **Позволит сравнить и подтвердить данные, полученные в 1932 году «Сибиряковым».**

Otto Julievitch (O.J.) Schmidt had been a highly educated man: a mathematician and author of the cosmogenic theory of the origin of the Earth. His hobby was mountain climbing. In 1924-1938 he had been the chief editor of the Big Soviet Encyclopedia. He had led the meteorological teams to Franz Josef Land (1929) and to Northern Land (1930). As a director of the All-Union Arctic Research Institute O.J. Schmidt had led the voyage of the ice-breaking ship Sibiriakov during the summer of 1932. On December 17, 1932 Otto Schmidt was appointed Chief of the Main Directorate for Northern Sea Routes. He was a natural choice for the Chelyuskin expedition to Arctic.

Отто Юльевич Шмидт был энциклопедически образованным человеком. талантливый математик, автор космогонической теории происхождения Земли. Его хобби – альпинизм. С 1924 по 1938 г. Шмидт был Главным редактором Большой советской энциклопедии. Руководил морскими экспедициями на Землю Франца-Иосифа (1929 г.) и на Северную Землю (1930 г.). Летом 1932 г. уже в качестве директора Всесоюзного арктического института Шмидт возглавил экспедицию на ледокольном пароходе «Сибиряков». 17 декабря 1932 г. Отто Шмидт был назначен начальником Управления Главсевморпути. Его назначение руководителем экспедиции «Челюскина» в Арктику было закономерным.

Results

While the *Chelyuskin* came close to achieving the first of these three objectives, it also made considerable contributions to achieving the other two. Many lessons were learned from the meticulous records kept by the crew and scientists who survived the harrowing experience of wintering on the ice-floes.

Результаты

«Челюскин» был близок к выполнению первой задачи, а также внес значительный вклад в выполнение двух остальных. Из подробнейших дневников экипажа и ученых, которые сумели выжить в тяжелейших условиях зимовки на плавучей льдине, было извлечено много уроков.

The Tasks Ahead

Much Work to Do

The exploratory work program was divided into three main parts, of which the first—collecting oceanographic data— consisted of many and varied categories, including hydrologic, geophysical, and geodesic work. These comprised: ocean depth soundings throughout the entire voyage; astronomical plotting; nautical descriptions of the Arctic coastline; additional surveys and depth soundings of selected bays on the Arctic coast and of Rodgers Bay on Wrangel Island; magnetic observations; notes on sailing directions, surface water temperatures, salinity, and alkaline content, and oxygen/hydrogen ion concentrations; observation and determination of ocean currents; launching of about 60 buoys; charting of ice covering (to be done also by airplane); study of polar ice, sea bottom, and thermal exchange between the water and the air; raising of about 30 radio-sondes; obtaining meteographs by kites, to be flown to a height of at least one kilometer, pilot balloons and daily meteorological observations every four hours; and, finally, testing the ship itself.

Second, the ship was to explore the potential for the fishing industry; and third, any special observations that might appear of use, because of previously unknown factors. Altogether, the crew and complement of this ship would not be in danger of boredom, for want of things to do.

Mystery Islands

One task was to try to find Sannikov's Land and Andreev's Land. These were the as-yet undiscovered (and, as later exploratory work was to reveal, undiscoverable) islands in the Arctic Ocean, which had been the subject of much speculation. O.J.Schmidt's ship was to carry a versatile little flying boat(a Shavrov Sh-2) which could be used periodically, in the hope of finding these "mystery islands." They were not successful.

Captain Voronin's Report

In his voyage report of 1 October 1934, now kept in the Arctic and Antarctic Museum in St. Petersburg, Captain V.I.Voronin stated: "During my stay in Murmansk, I received a letter from O.J.Schmidt, to inform me that the Central Office of the Northern Shipping Route was organizing a new expedition. Some vessels of ice-breaking capability had been handed over to it; the Soviet Merchant Navy had ordered an ice-breaking ship, the *Lena*, from a Danish shipbuilder; and this ship was to be sent along the Northern Shipping Route, from the Barents Sea to the Pacific Ocean, via the Bering Strait.

To dispel skepticism, Voronin recommended that the voyage should be made there and back within one navigation season, with a strong ice-breaker, with a minimum waste of time during the coaling at way-stations. The eastern terminus should not be Vladivostok, but Providenya (Providence Bay), where the ice-breaker should be coaled and made ready for the return voyage."

Предстоящие задачи

Много работы

Программа исследовательской работы делилась на три основные части, из которых первая – сбор океанографических данных, содержала много различных разделов, в том числе: гидрологические, геофизические и геодезические работы, замер океанских глубин лотом на протяжении всего пути, астрономические наблюдения, составление навигационного описания побережья Арктики, наблюдения и измерения глубин отдельных бухт Арктического побережья и бухты Роджерса на о. Врангеля. Кроме того предполагалось произвести магнитные измерения, отметки о направлении мореплавания, измерения температуры поверхности воды, солености и щелочности воды, концентрации ионов кислорода и водорода, наблюдение и определение морских течений, установку примерно 60 буев, составление карты ледовой обстановки (также с помощью самолета), изучение полярных льдов, морского дна и теплообмена между водой и атмосферой, запуск примерно 30 радиозондов, получение метеорограмм с помощью метеозондов, запускаемых на высоту не менее 1 километра, пилотируемых аэростатов, ежедневные метеорологические наблюдения через каждые 4 часа и, наконец, собственно испытание корабля.

Во-вторых, корабль должен был изучить возможности развития рыбной промышленности в регионе и, в-третьих, осуществить специальные наблюдения, которые могли быть полезны в случае непредвиденных обстоятельств. В целом, команде и экипажу этого корабля не пришлось бы скучать без дела.

Загадочные острова

Одной из задач было также попытаться найти Землю Санникова и Землю Андреева. Это были неоткрытые острова Северного Ледовитого океана (которые, как показали дальнейшие исследования, не существовали), являвшиеся объектом многочисленных домыслов. На корабле Отто Шмидта имелся небольшой самолет (летающая лодка «Шавров Ш-2»), одной из задач которого было попытаться обнаружить с воздуха эти «загадочные острова». Эта миссия осталась невыполненной.

Отчет капитана Воронина

В отчете о походе 1 октября 1934 года, ныне хранящемся в Музее Арктики и Антарктики в Санкт-Петербурге, капитан В. И. Воронин писал: «Во время моего пребывания в Мурманске я получил письмо от О.Ю. Шмидта, в котором он сообщал мне об организации новой экспедиции, Главного Управления Северного Морского Пути. К ГУСМП приписывалось несколько ледокольных судов. По заказу Советского торгового флота на судостроительной верфи в Дании шло строительство ледоко-

Vladimir Ivanovich (V.I.) Voronin had already captained the Syedov and the Sibiriakov in previous Arctic voyages with O.J. Schmidt. He navigated the Chelyuskin through the ultimately disastrous voyage of 1933– 34. Thanks to his seamanship, and in spite of the unsuitability of the ship for Arctic ice-breaking, he came close to achieving an almost impossible objective of making the Northeast Passage during the winter.

Владимир Иванович Воронин был капитаном «Седова» и «Сибирякова» в предыдущих арктических плаваниях вместе с О.Ю. Шмидтом. Он командовал «Челюскиным» в тяжелейшем плавании 1933-34 годов. Благодаря ему судно, не предназначенное для прохождения во льдах Арктики, сумело таки достичь практически невыполнимой цели и пройти Северо-восточным путем за один сезон.

ла «Лена». Этот корабль должен был пройти по Северному Морскому пути из Баренцева моря через Берингов пролив в Тихий океан.

Чтобы развеять сомнения, Воронин рекомендовал осуществить переход за один навигационный сезон на мощном ледоколе и свести к минимуму потери времени на погрузку угля на промежуточных стоянках. Самой восточной точкой вместо Владивостока должна была стать бухта Провидения, где ледокол должен был заправиться углем и подготовиться к обратному путешествию.

The Chelyuskin
«Челюскин»

A Long-Term Objective

Thus, in the opinions of both O.J.Schmidt and V.I.Voronin, one major objective of the second expedition along the Northern Sea Route was to test the type of vessel that the Soviet Government had ordered from Denmark. Further, this was intended to be one of a series of ships to be built for the purpose, and—provided that the second voyage was successful—the *Lena* would be the prototype for the Northern Fleet. (As will be shown further, the firm Burmeister and Wein did not fulfil the full terms of the contract, so that this objective was, in a negative sense, attained)

But the second voyage had much wider implications than to prove the possibility of a single route. It would affect and influence the future course of development of the entire Arctic region. It was necessary to show to the whole world that the *Sibiriakov's* successful round trip had not been accidental, or dependent on luck, but was part of a planned schedule of experimental development. Additionally, the 1933 voyage would enable the scientists on board to make further observations, compare them with those made in the previous year, and thus expand the knowledge of the conditions necessary before a permanent Northern Sea Route could be successfully launched.

As will be seen, decisions, modifications, and events that followed would combine to jeopardize this ideal concept. Because of various deficiencies that were revealed during the harsh conditions of the voyage during the Siberian winter of 1933–34, the voyage of the *Lena*, to be re-christened the *Chelyuskin*, would give its name to one of the most dramatic episodes in Arctic exploration history.

Долговременная цель

Таким образом, по общему мнению Шмидта и Воронина одной из главных задач второй экспедиции по Северному Морскому пути было испытание судна, которое строилось по заказу Советского правительства в Дании. В дальнейшем этот корабль должен был стать первым из серии предназначенных для этой цели судов, и в случае успеха второй экспедиции «Лена» стала бы прототипом кораблей Северного флота. (Как будет показано далее, фирма «Бурмайстер и Вайн» не выполнила все условия контракта, так что эта цель, хоть и в отрицательном смысле, но была достигнута).

Однако второе плавание имело гораздо более глубокий смысл, чем доказательство проходимости за одну навигацию. Оно повлияло на ход развития всего арктического региона. Этот поход был необходим, чтобы показать всему миру, что

The Chelyuskin

By normal maritime shipbuilding standards, the Lena/Chelyuskin was not altogether a bad ship. Its speed was adequate—about 11–12 knots—relatively high for a cargo ship of that time. The engine capacity was 2,400–2,800 I.H.P.; its displacement was 7,500 tons; and its shallow draught (6.5 meters) enabled it to navigate Arctic areas inaccessible to larger vessels. It was well equipped with modern trans-shipment derricks; it had a special hold for explosives; it had an emergency diesel engine; and the accommodation for all on board was comfortable and convenient. But it was not an ice-breaker. Its straight-walled hull sharply reduced its ice-impact resistance, and in combination with the obtuse shaped bow, steering through the ice was to be a problem.

«Челюскин»

Согласно общепринятым стандартам морского кораблестроения «Лена»/ «Челюскин» был неплохим кораблем. Он развивал скорость около 11-12 узлов, довольно высокую для грузового судна того времени, имел двигатель мощностью 2400–2800 л.с., водоизмещение 7500 тонн. Небольшая осадка (6,5 метров) позволяла навигацию в Арктике, невозможную для более низкосидящих судов. Он был хорошо оснащён современным грузовым оборудованием, имел специальный трюм для взрывчатых веществ, запасной аварийный дизельный двигатель, а также комфортные и удобные каюты для размещения экипажа. Однако он не был ледоколом. Его корпус с прямыми бортами не мог существенно противостоять давлению льда, что в сочетании с закругленным носом делало продвижение во льдах весьма затруднительным.

успех экспедиции «Сибирякова» был не случайностью или простым везением, а являлся частью спланированных экспериментальных исследований. Кроме этого, путешествие 1933 года давало возможность ученым на борту сделать новые наблюдения, сравнить их с полученными годом ранее данными, и тем самым обеспечить понимание условий, необходимых для успешного ввода в действие Северного Морского пути.

Как будет видно далее, последующие решения и развитие событий поставят под угрозу выполнение этого идеального плана. Из-за различных проблем, выявленных в суровых условиях Сибирской зимы 1933–34 гг, экспедиция «Лены», позже переименованной в «Челюскин», будет символизировать собой один из наиболее драматических эпизодов в истории освоения Арктики.

Some Questions

Not an Ice-Breaker

The Lena was not, however, an ice-breaking ship, at least not for the severe conditions to be met in the pack-ice of the Arctic Ocean in the depth of winter. Even in 1938, one of the prominent members of the expedition was still referring to the *Chelyuskin* as an ice-breaking ship, although he must have been aware of its deficiencies.

The authors of popular science essays kept calling the ship an ice-breaker; and this delusion was encouraged by the fact that the *Chelyuskin's* baptism was made in haste, and condoned by many who had not even seen the ship.

When the Soviet Merchant Fleet Office ordered the *Lena* from the Danish shipyard Burmeister and Wien, they specified that it was to be made of Siemens-Martin steel... with two uninterrupted decks, a bridge, and a forecastle. The hull was to be of ice-breaker shape, as was the bow, and the stern was to be that of a cruiser... "The keel should be constructed in such a way that the vessel should easily slip off the ice. The vessel is to be built under the control of Lloyd's of London Class + 100A.1, i.e., top class, with a special device for ice and with waterproof lower hull to guarantee that the vessel is unsinkable if one section is filled with water.

The Christening

Whether or not the firm itself had infringed the original terms of the contract, or that it was changed by the contractor, has never been clarified. Whatever the reasons, the *Lena* turned out to be an ordinary cargo vessel, rather clumsy and unfit for an independent Arctic voyage, at least in the winter. The ship's construction was supervised on the Soviet side by P.I.Bezais, and on 19 June 1933, it sailed from Copenhagen to Leningrad. On 5 July an official ceremony of conveyance to the Northern Shipping Route Central Office was held; and on 19 July it was named after the Russian Arctic explorer, S.I. Chelyuskin (after whom the most northerly point of the Euro-Asian land mass is named).

Voronin's Doubts

Captain V.I.Voronin continued to be skeptical. He was supported in his opinion by a specialist commission, including N.K.Dormidontov and Academician A.N. Krylov, who examined the *Lena*. Voronin arrived in Leningrad at the urgent summons from O.J.Schmidt, after P.L.Bezais had refused to navigate the ship to the Arctic, after it had already been loaded. Voronin wrote:

I was able to examine only the tiller and the rope boxes. Everything I saw made an unfavorable impression. The framing was weak, far short of the strength needed for Arctic ice-breaking work. The hull was too wide, vulnerable to impact with the ice. The ship did not answer easily to the helm. The *Chelyuskin* is unfit for such a voyage.

Later events were to prove that Voronin was right.

Call for Ice-Breakers

According to N.P.Shandrikov, the constructors intended to design a vessel of a standard type, merely making some modifications such as reducing the width from 16.6 to 15.0 meters, increasing the strength of the hull, and sharpening the prow. But with the government insisting on an early start, and recognizing certain reservations like those of Captain Voronin, wise precautions were taken. The Soviet Central Office ordered G. Markov, captain of the ice-breaker *Krasin*, and A.P.Bochek, captain of the ice-breaker *F.Litke*, to accompany the *Chelyuskin* through the most difficult sections of the route across the Arctic Ocean.

Некоторые вопросы

Не ледокол

«Лена», не была ледоколом, по крайней мере по отношению к суровым условиям глубокой зимы в ледовых торосах Северного Ледовитого океана. Тем не менее в 1938 году один из известных членов экспедиции говорил о «Челюскине» как о ледоколе, хотя ему должно было быть известно о недостатках корабля.

Авторы научно-популярных рассказов продолжали называть этот корабль ледоколом. Это заблуждение объяснялось тем, что крещение «Челюскина» было проведено в спешке, и многие авторы так и не видели самого корабля.

Когда руководство Советского торгового флота поручило изготовить «Лену» датской верфи Бурмейстер и Виен, то оно потребовало, чтобы это судно было сделано из стали «Сименс-Мартин» … с двумя непрерывными палубами, капитанским мостиком и баком. Каркас должен был иметь ледокольные обводы, нос и корму крейсера...» Киль должен был быть сконструирован таким образом, чтобы легко соскальзывать со льда. Судно должно было быть построено под надзором Ллойда Лондонского класса +100А, т.е высшего класса, специально оборудованное для льда, с низким специальным водозащитным основным корпусом, гарантирующим устойчивость в случае заполнения одного из трюмов водой.

Крещение

Фирма ли нарушила условия контракта, или они были изменены заказчиком, остается неизвестным. Так или иначе, «Лена» получилась обычным грузовым судном, несколько неуклюжим и непригодным для автономного арктического плавания по крайней мере зимой. Строительство корабля контролировалось П. И. Безайсом с советской стороны, и 19 июня 1933 года судно вышло из Копенгагена в Ленинград. Официальная церемония передачи судна Главному Управлению Северного Морского пути состоялась 5 июля, а 19 июля корабль был переименован в честь русского полярного исследователя С. И. Челюскина (чьим именем названа самая северная точка Евроазиатского континента).

Сомнения Воронина

Капитан В. И. Воронин продолжал сомневаться в успехе. Его мнение было поддержано специальной комиссией, в которую входили Н.К. Дормидонтов и академик А.Н. Крылов, осмотревшие «Лену». Воронин прибыл в Ленинград по срочному вызову О.Ю. Шмидта после того, как П. И. Безайс отказался вести корабль в Арктику, хотя корабль уже стоял под загрузкой. Воронин писал:

«Мне удалось проверить только штурвал и ящики для канатов. Все, что я увидел, производит неблагоприятное впечатление. Каркас слабый, явно недостаточно прочный для работы в арктических льдах. Основной корпус слишком широкий, уязвимый к сдавливанию льдом. Корабль плохо слушается руля. «Челюскин» не подходит для такого плавания.

Дальнейшее развитие событий показало, что Воронин был прав.

Вызов ледоколов

По словам Н. П. Шандрикова конструкторы планировали создать обычное судно, внеся ряд модификаций, таких как уменьшение ширины с 16,6 до 15,0 метров, увеличение прочности каркаса и заострение носа. Поскольку правительство настаивало на скорейшем начале экспедиции, и учитывая замечания, сделанные капитаном В.И.Ворониным и другими, были предприняты должные меры предосторожности. Управление приказало капитану ледокола «Красин» Г.Маркову и капитану ледокола «Ф. Литке» А.П.Бочеку сопровождать «Челюскин» при прохождении через наиболее тяжелые участки маршрута по Северному Ледовитому океану.

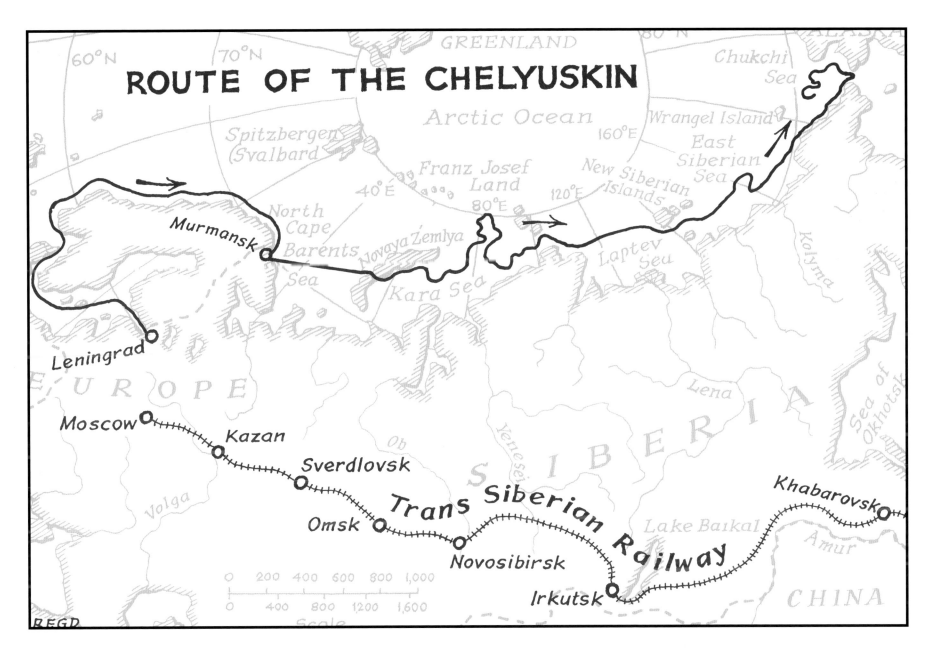

ROUTE OF THE CHELYUSKIN

Departure
Отплытие

The Crew

Captain Voronin's crew included chief mate S.V. Godin, pilot-navigators V.V. Pavlov, M.G. Markov, and B.I. Vinagradov, all from Archangelsk. The engine crew was headed by senior mechanic N.K. Matusevich. They were reinforced by communist party member I.S. Nesterov and student communists A.S. Kolesnichenko, M.G. Filippov, A.P. Apokin, and L.D. Markisov. They were from ship building institutes, and were on board for their undergraduate practical work. According to O.J. Schmidt, they played an important role, especially on the ice-flow.

The expedition personnel of 29 men included some from the *Sibiriakov*: hydro-biologist P.P. Shirshov, land-surveyor J.J. Gackel, hydrographer P.K. Khmyznikov, veteran explorer of the Kara Sea, and the Lena and Yana Rivers, and aerologist N.N. Shpakovsky, who had once wintered on Big Liachovsky Island. Also on board were zoologist V.S. Stakhanov and hydro-chemist P.G. Lobza, together with 29 relief personnel destined for Wrangel Island. Heading the expedition personnel was P.S. Buyko accompanied by his wife Lydia and daughter Alla. The 15-man strong party organization was led by machinist V.A. Zadorov and meteorologist N.N. Komov with his wife Olga. Altogether, including Voronin and Schmidt, 112 persons (52 crew, 29 expedition members, 29 Wrangel relief) men, women, and even one child, left Murmansk on the *Chelyuskin* on 10 August 1933.

Команда

В команду капитана В.И. Воронина входили главный помощник капитана С. В. Годин, штурманы-навигаторы В. В. Павлов, М. Г. Марков и Б. И. Виноградов, все из Архангельска. Команду механиков возглавлял старший механик Н. К. Матусевич. Туда также входили член компартии И. С. Нестеров и студенты-коммунисты А. С. Колесниченко, М. Г. Филиппов, А. П. Апокин и Л. Д. Маркизов. Они были студентами судостроительных институтов и проходили на борту преддипломную практику. По словам О. Ю. Шмидта они сыграли важную роль, особенно на дрейфующем льду.

Персонал экспедиции насчитывал 29 человек, некоторые из которых принимали участие в экспедиции «Сибирякова»: гидробиолог П. П. Ширшов, геодезист Я. Я. Гаккель, гидрограф П. К. Хмызников, ветеран-исследователь Карского моря, рек Лена и Яна аэролог Н. Н. Шпаковский, который однажды зимовал на Большом Ляховском острове. На борту также были зоолог В. С. Стаханов и гидрохимик П. Г. Лобза, а также 29 человек персонала, направлявшихся на о. Врангеля. Кадрами экспедиции руководил П.С. Буйко, плывший вместе со своей женой Лидией и дочерью Аллой. Во главе партийной организации экспедиции, состоящей из 15 коммунистов, был оператор машинного отделения В. А. Задоров, а также метеоролог Н.Н. Комов и его жена Ольга.

Всего вместе с Ворониным и Шмидтом их было 112 человек (52 - команда, 29 - члены экспедиции, 29 - остающихся на Врангеле) - мужчины, женщины и даже один ребенок. Они отплыли на «Челюскине» из Мурманска 10 августа 1933 г.

Anchors Aweigh!

The *Chelyuskin* left Leningrad on 16 July 1933. After a farewell meeting on the Lieutenant Schmidt Embankment, it headed for Copenhagen, where it had been built, to have some defects corrected and to undergo performance testing. On the way, further deficiencies became evident: the engine could only make 90 revolutions instead of the planned 120 per minute; the crank-bearing caught fire; the oil-ducts melted. Repairs had to be made, but the extra performance testing was not carried out, and consequently the ship's official conveyance statement was not fully completed. When the *Chelyuskin* was leaving Norwegian shores, it rolled badly. "The waves were high" the captain reported, "the after-deck was always under water.

We had to heave to to retain the deck cargo."

Mikhail Sergeivitch (M.S.) Babushkin was an experienced Arctic aviator who had worked before in fur-hunting expeditions. He was the natural choice as "the eyes of the ship" for the Chelyuskin *expedition.*

Михаил Сергеевич Бабушкин был опытным арктическим летчиком. Он ранее работал в экспедициях за пушниной. Вполне естественно, что на «Челюскине» он был «глазами капитана».

Поднять якоря!

«Челюскин» вышел из Ленинграда 16 июля 1933 года. После прощального митинга на набережной Лейтенанта Шмидта судно вышло в Копенгаген, где оно было построено, для прохождения ходовых испытаний и исправления некоторых дефектов. В пути стали очевидны следующие недостатки: двигатель делал 90 оборотов в минуту вместо планируемых 120, подшипники коленчатого вала раскалились, маслопроводы плавились. Необходимые ремонтные работы были проведены, но полные испытания судно так и не прошло, и поэтому официальная передача корабля не была проведена в полном объеме. Когда «Челюскин» покинул норвежские берега, была сильная качка. «Волны были высокие», - писал капитан, - «палуба была все время под водой. Мы были вынуждены лечь в дрейф, чтобы удержать палубный груз».

The Shavrov Sh-2 *was a sturdy little amphibian that, with wings folded, could be carried on the fore-deck of the* Chelyuskin, *then lowered into the water for reconnaissance flights.*

«Шавров Ш-2» был крепким маленьким самолетом-амфибией, который со сложенными крыльями мог разместиться на верхней палубе «Челюскина» и спускался на воду для разведывательных полетов.

Leningrad-Murmansk

Ленинград - Мурманск

The Shavrov Sh-2

On 2 August, the *Chelyuskin* arrived in Murmansk, where the voyage was again delayed because of damage to the vessel's airplane. The propeller of the little Shavrov Sh-2 flying boat was broken. This aircraft was an important part of the equipment, as it could be launched in open water to make a reconnaissance to seek passages through the pack-ice. It was to be piloted by M.S. Babushkin, a well-known aviator, experienced in Arctic flying. The ship was provisioned with food, cattle (20 cows and 4 piglets), hay for the animals, and logs to build pre-fabricated huts for the people destined for Wrangel Island.

«Шавров Ш-2»

Когда «Челюскин» прибыл в Мурманск 2 августа, плавание было снова отложено из-за повреждения корабельного самолета. Пропеллер малыша-самолета «Шавров Ш-2» был сломан. Этот самолет был очень важной частью снаряжения, так как мог взлетать с открытой воды для проведения разведки пути и поиска свободной ото льда воды. Его пилотом должен был быть М. С. Бабушкин, известный авиатор с опытом арктических полетов. Корабль был загружен провиантом, скотом (20 коров и 4 поросенка), сеном для животных и бревнами для строительства сборных домиков для людей, направляющихся на остров Врангеля.

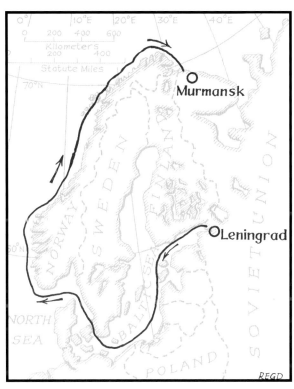

Bon Voyage! The scene at Leningrad on 16 July 1933, as the Chelyuskin *prepared to cast off on the initial stage of its historic voyage through the Arctic ice.*

Счастливого плавания! Ленинград, 16 июля 1933 года. «Челюскин» готовится к отплытию в историческое путешествие через арктические льды.

From the Danish ship builder in Copenhagen the Chelyuskin *set off for Murmansk for its final provisioning. As it went through some heavy seas along the northern coast of Norway, there were indications that the ship was not built to fight the Arctic pack-ice.*

Покинув датскую верфь в Копенгагене, «Челюскин» пошел в Мурманск для окончательной загрузки. Во время плавания по суровым водам северного побережья Норвегии появились признаки того, что корабль не приспособлен к путешествию через паковые льды Арктики.

Off to the Arctic

Отправление в Арктику

Ice-Free Port

Murmansk was an important port for Russia and the Soviet Union, because it was ice-free the whole year round, thanks to the Gulf Stream Drift, the warm current which flowed northeastwards from the Atlantic Ocean, creating milder climates than elsewhere in regions north of the Arctic Circle. In northern Norway, for example, in cities such as Tromso, the inhabitants can grow roses at Christmas-time. Murmansk benefitted from this geographical situation, whereas St. Petersburg/Leningrad's outlet through the Baltic Sea was iced up during the winter, as was Archangelsk, further to the northeast. In later years, Murmansk was to be a key link in a supply route during the Second World War, and it was to become a big naval port and ship-building center.

Незамерзающий порт

Мурманск являлся важным портом для России и Советского Союза, так как благодаря Гольфстриму он не замерзал. Это теплое течение в Атлантическом океане имеет северо-восточное направление и создает более мягкий климат в регионах к северу от Полярного круга. В северной Норвегии, например, в таких городах, как Тромсо, жители могут выращивать розы на Новый год. Мурманск находится в выгодном географическом положении, поскольку выход в Балтийское море через порт С.-Петербург/Ленинград зимой замерзает. Порт Архангельск, находящийся на северо-востоке, также замерзает. Во время Второй Мировой войны Мурманск был ключевым звеном маршрутов грузовых поставок. В то время он стал крупным военно-морским портом и центром кораблестроения.

The Chelyuskin *(left) with the* Krasin *ice-breaker. Although the latter was able to cope with breaking through some pack-ice, trying to shepherd Captain Voronin through the worst of the Arctic ice during the winter was too much of a task. Future ice-breakers would have to be stronger and more powerful.*

«Челюскин» (слева) и ледокол «Красин». Хотя последний мог проходить через ледяные торосы, все же провести судно капитана Воронина через самые суровые арктические льды зимой было для него слишком сложной задачей. Более поздние ледоколы были намного мощнее и крепче.

The Voyage Begins

On 10 August, the *Chelyuskin* left Murmansk en route to the Arctic Ocean. It carried 2,995 tons of coal, and 500 tons of fresh water. According to reports from polar stations, there was still ice in the Boris Vilkitsky Strait, and the Novaya Zemlya southern straits were also jammed with ice. To pass into the Kara Sea, therefore, Voronin headed for Matochkin Shar, the narrow strait between the two islands of Novaya Zemlya. There, on 13 August, the *Chelyuskin* met the *Krasin* ice-breaker, which was stationed at the strait to guide ships heading for the Ob, Yenesei, and Lena Rivers.

Плавание началось

10 августа «Челюскин» вышел из Мурманска и направился в Северный Ледовитый океан. Он был загружен 2995 тоннами угля и 500 тоннами питьевой воды. Как сообщалось в отчетах полярных станций, пролив Бориса Вилькицкого все еще был закрыт, и южные проливы Новой Земли также были скованы льдами. Чтобы пройти в Карское море, В.И. Воронин двинулся в направлении Маточкиного Шара, узкого пролива между двумя островами Новой земли. Здесь 13 августа «Челюскин» встретился с ледоколом «Красин», который находился в проливе для сопровождения судов, идущих к рекам Обь, Енисей и Лена.

The Barents Sea

Novaya Zemlya

This name embraces a pair of desolate islands that reaches far into the frozen Arctic north. Separated from the mainland and divided into 2 parts by the strait of Matochkin Shar, it provides a convenient (albeit difficult) land route as far as 77° North. Only four years after the *Chelyuskin's* visit, it was a vital part of the route used by the Papanin expedition, when, in 1937, a small fleet of Soviet aircraft flew to the North Pole, where it left the explorers to drift back to the North Atlantic on a large ice-flow.

Among the five pilots who landed the Papanin expedition on the North Pole were Mikhail Vodopyanov and Vasily Molokov, two of the heroes of the *Chelyuskin* adventure four years earlier.

Last of the Open Water

Thanks to the influence of the warmer waters resulting from the Gulf Stream Drift, the *Chelyuskin* enjoyed a smooth passage across the Barents Sea. But henceforward, Voronin and his crew would have to fight all the way.

Баренцево море

Новая Земля

Этим именем называются два острова на самом севере Арктики. Они разделяются проливом Маточкин Шар, который дает удобный (хотя и сложный) проход на 77° северной широты. Всего через четыре года после посещения «Челюскина» этот пролив стал важной частью маршрута, по которому шла экспедиция Папанина, когда в 1937 году небольшой отряд советских самолетов долетел до Северного полюса и оставил там исследователей, дрейфовавших назад в Северную Атлантику на большой льдине.

Среди пяти пилотов, которые высаживали экспедицию Папанина на Северном полюсе, были Михаил Водопьянов и Василий Молоков - два героя челюскинской эпопеи.

Последняя открытая вода

Благодаря влиянию теплых вод Гольфстрима, «Челюскин» относительно легко прошел через Баренцево море. Но с этого момента В.И.Воронину и его команде приходилось постоянно бороться со стихией.

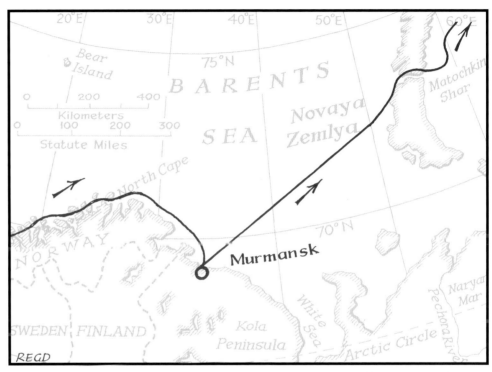

The Barents Sea was the easiest part of the voyage.

Баренцево море было самой легкой частью маршрута.

Meeting the First Ice

Voronin steered eastward after only two or three hours at Matochkin Shar and a few hours later met the first ice. He often had to change course in search of ice-free water, swerving to the north to find ice-free passage. Thanks to the warmer waters flowing north from the estuaries of the Rivers Ob and Yenesei, he had not expected to find ice in that area of the Kara Sea.

But radio messages from the *Lenin* ice-breaker, which was near White Island, reported that the southern part of the Kara Sea was already covered with heavy ice. There was also ice near Sverdrup Island, where the *Sedov* and the *Sibiriakov* ice-breaking ships were trying to pass through the Boris Vilkitsky Strait. "In fact" wrote Captain Voronin, "we were constantly on ice-patrol."

Встреча с первыми льдами

Воронин двигался на восток, и через два - три часа после Маточкина Шара спустя несколько часов после встречи с первыми льдинами он вынужден был часто менять курс в поисках открытой воды и отклонился к северу. Он надеялся, что благодаря более теплым водам, вытекающим из дельт рек Обь и Енисей, в Карском море не будет льда.

Но из радиосообщения с ледокола «Ленин», который находился возле острова Белый, следовало, что южная часть Карского моря уже покрыта толстым слоем льда. Возле острова Свердруп, где ледоколы «Седов» и «Сибиряков» пытались пробиться сквозь пролив Бориса Вилькицкого, также лежал лед. «Фактически, - писал капитан Воронин, - мы постоянно находились в ледовой разведке».

Early Problems

Change of Plan

From the beginning of the voyage in the Kara Sea, it was decided to change the plan of research work and to start hydrological observations at once, as the *Chelyuskin* was going through areas that were hitherto unexplored. Today, every square foot of the Arctic Ocean has been meticulously surveyed and mapped; but in the early 1930s, much of the ocean had never been visited, except by polar bears. There was even speculation that some islands, even a land area, existed to the far north of Siberia. In recent years, artificial "islands" were in place, as both Soviet and American scientific research stations were established on islands of ice 50 meters thick.

Изменение плана

С самого начала плавания в Карском море было решено изменить план исследовательских работ и начать гидрологические наблюдения, как только «Челюскин» войдет в неисследованный ранее регион. Сегодня каждый квадратный километр Северного Ледовитого океана подробно изучен и нанесен на карты, но в начале 30-х годов в большинстве областей океана не бывал никто, кроме белых медведей. Существовали легенды об островах и даже землях, лежащих гораздо севернее Сибири. Много позднее советские и американские исследовательские станции стали располагаться на так называемых «искусственных островах» - льдинах толщиной до 50 метров.

Stowaway!

A few days after leaving Murmansk, a bedraggled and very black young man was discovered on board. He had hidden in the coal bunkers at Murmansk, as he was keen to explore the Arctic. In spite of pleading from a sympathetic crew, Otto Schmidt insisted on strict discipline, and the lad was transferred to another ship that was heading for Archangelsk.

«Заяц»

Через несколько дней после отплытия из Мурманска на борту обнаружили очень грязного чумазого подростка. Он спрятался в угольных бункерах во время стоянки в Мурманске, так как очень сильно хотел исследовать Арктику. Несмотря на просьбы сочувствующих членов экипажа, Отто Шмидт настоял на твердой дисциплине, так что юношу посадили на другой корабль и отправили в Архангельск.

Leaks

The deficiencies that had been suspected in the design of the original *Lena* were soon discovered to be all too real. This was a bad omen for everyone on board and right from the start, this voyage had to be viewed not only as exploratory but possibly dangerous. Even a more strongly-built ship would have needed ice-breaker help, and the *Chelyuskin* was already badly handicapped.

On the second day out of Matochkin Shar, on August 14, serious damage was discovered. The twin-structures on the starboard and port sides started to leak badly, in vitally important places. Some joints in the structure had ripped open and the rivets had loosened. On the port side, a stringer had bent, the frame had broken, and several rivets had been cut clean off. In Voronin's opinion, the damage had been caused because the design of the over-wide hull created strong tension where it should have been more flexible. Urgent measures were taken to stop the leak by cementing the sides and propping them up by additional wooden supports. Fortunately, the expedition party on the *Chelyuskin* included carpenters who were part of the contingent that was to reinforce the Wrangel Island settlers.

Течи

Скрытые дефекты конструкции «Лены» вскоре стали очевидны. Это было плохим предзнаменованием для находящихся на борту, и уже с самого начала путешествие пришлось считать не только исследовательским, но и потенциально опасным. Будь «Челюскин» намного прочнее, он все равно бы нуждался в помощи ледокола, а в своем тогдашнем состоянии «Челюскин» был тем более уязвим.

14 августа на второй день после выхода из Маточкина Шара выявились серьезные поломки. Двойная обшивка правого борта и левый борт начали сильно протекать в самых ответственных местах. Некоторые швы разошлись, заклепки разболтались. Согнулся стрингер на правом борту, каркас лопнул, выскочило несколько заклепок. По мнению Воронина повреждения возникли из-за слишком широкого корпуса, создающего сильное напряжение и не обладающего достаточной эластичностью. Были приняты срочные меры по устранению течи путем цементирования бортов и подпирания их дополнительными деревянными стойками. К счастью, на борту «Челюскина» были плотники, которые направлялись строить дома поселенцам острова Врангеля.

Broken ribs in the Chelyuskin's *hull. That such damage could be inflicted so early in the voyage did not give much encouragement for the harsher challenges ahead.*

Поломка каркаса «Челюскина». Столь раннее возникновение повреждений не давало особого повода для оптимизма.

Broken plates in the Chelyuskin's *hull. The picture was taken almost in darkness, with chinks of light showing.*

Сломанные пластины каркаса «Челюскина». Фотография сделана почти в полной темноте, сквозь дыры пробивается свет.

The Kara Sea

Карское море

As the map shows, the continuing journey across the Kara Sea, the first of several seas that form the areas of the Arctic ocean bordering the northern shores of Siberia, was not the straight—and straightforward—voyage that had characterized the crossing of the Barents Sea. But in another non-geographical sense it was far from straightforward. The population of the *Chelyuskin* was increased to 113. As narrated on page 26, a baby was born. The daughter of Dorothea Vasilyeva, Karina was named after the Kara Sea. Also the expedition became one of discovery, when the ship was able to plot the precise position of a small island in the Sea.

Как показано на карте, их дальнейший путь лежал через Карское море, одно из морей, омывающих северное побережье Сибири. В отличие от Баренцева, путь через Карское море был непростым и извилистым в прямом и переносном смысле. Население «Челюскина» выросло до 113 человек. Как рассказывается на странице 26, на борту родился ребенок: дочь Доротеи Васильевой Карина была названа в честь Карского моря. Также было сделано географическое открытие: определены точные координаты небольшого острова.

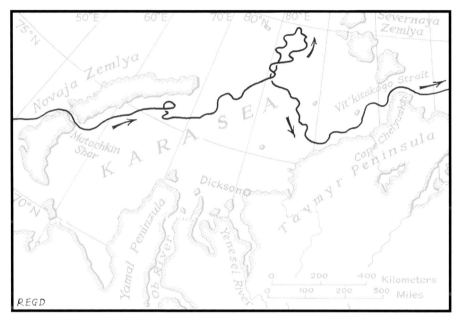

Seeking open water, Captain Voronin at first tried to navigate to the north of the Severnaya Zemlya islands; but had to change course in the face of severe ice-floe barriers.

В поисках открытой воды капитан Воронин сначала старался пройти к северу Северной Земли, но был вынужден сменить курс, столкнувшись с непреодолимыми ледяными барьерами.

"Soft" Ice

At the beginning of the winter season, the freezing of the Arctic Ocean was a gradual process. Surface ice developed into small ice floes which at first were easily overcome by the ice-breakers. This condition was known as "soft" ice. "Soft" they may have been, but they soon developed into unyielding areas that were hard enough to break ships.

«Мягкий» лед

В начале зимы океан замерзает постепенно. Поверхность льда образуется из мелких льдин, которые сначала легко проходятся ледоколами. Это состояние известно как «мягкий» лед. С виду «мягкий» лед быстро превращается в монолитные глыбы, которые настолько тверды, что могут разрушить корабль.

"Soft" ice, as far as the eye could see, was no problem for the Chelyuskin. But much worse was to follow as the voyage progressed to the east.

«Мягкий» лед, очевидно, не был проблемой для «Челюскина». При продвижении на восток ему встретятся гораздо более серьезные препятствия.

Call for the Ice-Breaker

Вызов ледокола

Call to the *Krasin*

The *Chelyuskin's* voyage across the Kara Sea, independent of any escort, had been unsuccessful. The damage sustained had proved that it could not stand up to the strongest forces of the pack-ice. Consequently, when the ship was about to face the same same obstacle again, Captain Voronin sent a radio message to the *Krasin* ice-breaker for help.

Вызов «Красина»

Автономное плавание «*Челюскина*» через Карское море без эскорта было неудачным. Непрерывные поломки показали, что он недостаточно прочен для прохождения через ледяные торосы. Когда они в очередной раз стояли перед этим препятствием, капитан В.И. Воронин послал на ледокол «*Красин*» сообщение с просьбой о помощи.

Transfer of Coal

To reduce the vessel's draught and to raise the damaged sections of the hull above the water level, the coal reserve had to be trans-shipped on to the *Krasin*. The operation took three days, from 17 to 20 August, but this made no improvement. Piloted though it now was by the *Krasin*, the *Chelyuskin* sustained another big dent in the port side. as soon as it tried to follow in the tracks of the ice-beaker. The ship's hull was too wide for the narrow channel which the *Krasin* created as it broke through the ice, hitting against the ice on each side with its weaker parts.

Перегрузка угля

Для уменьшения осадки судна и подъема повреждённых участков корпуса над водой резерв угля был перегружен на «*Красин*». Это заняло три дня с 17 по 20 августа, но существенно не улучшило ситуацию. Ведомый теперь «*Красиным*», «*Челюскин*» получил ещё одну большую пробоину в левом борту, как только начал движение за ледоколом. Корпус корабля был слишком широк для узкого прохода, который пробивал во льду «*Красин*». Корабль бился об лед обоими бортами.

In transferring the coal to "balance" the Chelyuskin *when the propeller broke, everyone helped, including the writer and poet, Il' ya Selvinsky.*

Когда при перегрузке угля с целью уравновесить судно сломался винт, помогали все, включая поэта и писателя Илью Сельвинского.

Aviator Mikhail Babushkin also lent a hand as a coal man. There was no mechanical apparatus to assist in this arduous task, which depended entirely on muscle-power.

Лётчик Михаил Бабушкин тоже переквалифицировался в грузчики. В то время не было механизмов, которые могли бы выполнить эту тяжелую работу, и все зависело только от физической силы людей.

The Krasin

Further prospects of the *Chelyuskin's* progress in the ice were not encouraging. Even so, though not completely optimistic, the ship's senior officers were determined not to abandon the expedition. "Whether there is further damage or not" Captain Voronin wrote, "we shall struggle continuously against the ice and forge a shipping route to the East." At that time, he must have felt that there still a reasonable chance that, with the ice-breakers, his ship could fulfil its mission.

Хотя дальнейшие перспективы продвижения «Челюскина» во льдах не внушали особенного оптимизма руководству экспедиции, они все же были твердо намерены продолжать. «Получим мы еще повреждения или нет, - писал В.И. Воронин, - мы должны продолжать бороться со льдом и прокладывать морской путь на Восток». Вероятно, он все еще полагал, что у них есть шанс выполнить поставленную задачу при содействии ледоколов. Он даже не мог себе представить какие приключения ждут их впереди.

The Krasin *is seen here amid some "soft" ice. It had originally been intended to clear an open-water path through the pack-ice for the* Chelyuskin *to maintain its progress; but the challenge was too severe and the ice-breaker became a casualty of the expedition. The experience of the* Krasin *and others of its class taught a strict lesson: ice-breakers would have to be bigger and better.*

На этом снимке «Красин» среди «мягкого» льда. По плану он должен был пробивать для «Челюскина» путь во льдах, но задача оказалась ему не по силам, и ледокол вынужден был покинуть экспедицию. Опыт «Красина» и других судов того же класса показал, что настоящему ледоколу необходимо иметь гораздо большую мощность и размеры.

During the emergency when the Chelyuskin *needed repairs, coal had to be transferred to the Krasin. The two ships are seen here together.*

В аварийной ситуации, когда «Челюскин» нуждался в ремонте, уголь был перегружен на «Красин». Здесь видны оба корабля вместе.

Early Diversions

Незапланированные события

Aerial Ice-Patrol

On 21 August, the *Krasin* piloted the *Chelyuskin* into ice-free waters and then each ship followed its own destination, the former towards Dickson, the latter directly eastward. From now on, Voronin could rely for guidance only on air-patrols from the Shavrov airplane. On 22 August, the pilot Babushkin, with Captain Voronin on board, made its first flight, which lasted an hour and fifteen minutes. This was the first time in history when an ice-patrol airplane had used a ship as its base, independent of an airfield. Unexpectedly, it revealed ice-free water to the north of their course, and another flight to the northwest confirmed this observation. Voronin therefore steered to the north, either to repeat the successful passage around Severnaya Zemlya (North Land) as had been done in the year before, or to enter the Laptev Sea through the Shokalsky Strait. But progress was impeded by dense fog, which slowed down the ship. The *Chelyuskin* kept hitting heavily against the ice and vibrated throughout its structure.

Воздушная ледовая разведка

21 августа «Красин» вывел «Челюскина» на открытую воду, и они разошлись в разных напрвлениях: один - на Диксон, другой - прямо на восток. Теперь Воронин мог руководствоваться только ледовой разведкой самолета «Шавров». 22 августа пилот Бабушкин вместе с капитаном Ворониным совершили первый вылет, который длился час и пятнадцать минут. **Впервые в истории самолет ледовой разведки совершил взлет прямо с разводья возле корабля.** Неожиданно они обнаружили открытую воду к северу от их курса, что подтвердилось повторным полетом на северо-запад. Поэтому Воронин отвернул к северу с целью либо повторить успешное прохождение вокруг Северной Земли, которое было сделано годом ранее, либо выйти в море Лаптевых через пролив Шокальского. Однако продвижению помешал плотный туман, и «Челюскин» продолжал биться бортами об лед, сотрясаясь всем корпусом.

Happy Event

One of the families, the Vasiliyevs, who were destined to relieve the settlers at Wrangel Island, were actually expecting their first child. And so, on 30 August in the Kara Sea, Karina, Dorothea Vasiliyeva's daughter, was born. Her name was suggested by captain Voronin and she was well looked after throughout the voyage and during all the trials and tribulations of the shipwreck and ice-camp that was to be the destiny of the ill-fated *Chelyuskin*.

An amusing sequel to this event was that when the parents returned home, and dutifully went to register Karina's birth, they ran into some bureaucratic problems. They could provide the date, but to the consternation of the registrar, could not identify exactly a place of birth, nor could they name it. He eventually accepted an approximate latitude and longitude of a spot in the Kara Sea, 52 meters beneath the sea level.

Счастливое событие

Семья Васильевых, которые должны были поселиться на острове Врангеля, ожидала появления первого ребенка. И вот 30 августа в Карском море у Доротеи Васильевой родилась дочь, которую по предложению капитана В.И. Воронина назвали Кариной. О девочке хорошо заботились на протяжении всего плавания, всех тягот и испытаний кораблекрушения и зимовки на льду, которые выпали на долю несчастного «Челюскина».

Забавным последствием этого события были бюрократические проволочки с регистрацией новорожденной по возвращении домой. С датой рождения все было в порядке, но к ужасу чиновников родители не могли ни точно указать место рождения, ни сообщить его название. В конце концов, в документах записали примерную широту и долготу участка Карского моря, находящегося на 52 метра ниже уровня моря.

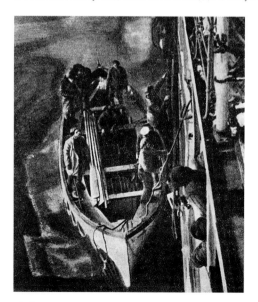

The visit to Uyedineniya Island
Lowering the boat (left), rowing to the island (center), and hauling it on shore.

Визит на остров Уединения
Спуск шлюпки на воду(слева), путь к острову (центр) и высадка на берег.

Uyedineniya Island

Остров Уединения

The Lonely (and Lost) Island

As the *Chelyuskin* moved into the central part of the Kara Sea, its normal life was interrupted by another incident that was not originally planned. This occurred at the beginning of the night watch on 23 August, when one of the crew noticed that the sea depth was decreasing in what was assumed to be open ocean. The echo-sounder indicated a depth on only 70 meters, and by 8.05 p.m., it was only 16 meters. As darkness had fallen and the fog was still very thick, Voronin hove to and cast anchor.

His decision was well-judged. Next morning, when the fog had cleared, the ship was found to be in the vicinity of an island that was not marked on the maps carried on board. After consultation, the conclusion was that this was probably Uyedineniya (Solitude, or Lonely) Island. But nobody knew for certain the exact location of the island. The *Sedov* ice breaker has visited the area in 1930, but had not found it, even though its existence was suspected from previous sorties in to the area.

To determine the new island's position, a group of explorers, headed by O.J. Schmidt, went briefly to the shore. They recorded the geographical and magnetic locations, and left a message to commemorate their visit.

The island was plotted on the map. This determined that it was indeed Uyedinenie but that it had hitherto been mistakenly charted 50 miles (80 kilometres) to the south-east of its true position. A year later, a scientific polar station was established there, one that was in future to play a significant role in the course of exploration and charting of the Northern Shipping Route.

Уединенный (и затерянный) остров

При движении через центральную часть Карского моря нормальный ход «Челюскина» был прерван еще одним неожиданным происшествием. В начале ночной вахты 23 августа было замечено, что глубина уменьшается, хотя считалось, что корабль находится в открытом море. Эхолот показал глубину 70 метров, однако к 20:05 часам она сократилась до 16 метров. В темноте и сгустившемся тумане В.И. Воронин вынужден был встать на якорь.

Его решение оказалось абсолютно правильным. На следующее утро, когда туман рассеялся, оказалось, что корабль находится вблизи острова, которого нет на карте. Посовещавшись, они решили, что это остров Уединения. Координаты этого острова не были известны. Ледокол «Седов», заходивший в этот район в 1930 году, не обнаружил острова, хотя о его существование сообщали более ранние экспедиции.

Для определения координат нового острова на него ненадолго высадилась группа во главе с О. Ю. Шмидтом. Они записали географические и магнитные координаты и оставили на острове записку о своем пребывании.

Остров был нанесен на карту, и Бабушкин сфотографировал его с воздуха. Съемка подтвердила, что это, действительно, был остров Уединения, который ошибочно нанесли на карту на 50 миль (80 километров) юго-восточнее. Год спустя здесь разместится научная полярная станция, которая сыграет важную роль в изучении и разведке Северного Морского пути.

O.J.Schmidt and his boat crew mark their landing on Uyedineniya Island with a cairn.

О. Ю. Шмидт и команда его шлюпки оставили отметку о своем пребывании на острове Уединения в виде пирамиды из камней.

Previously in 1930 O.J. Schmidt had led G.A. Ushakov's expedition to North Land in the Syedov *and had discovered Vize Island named after Professor Vize. Now he was able to establish the precise position of another remote island in the Kara Sea – Uyedineniya island.*

Ранее в 1930 г. во время экспедиции О.Ю. Шмидта на ледоколе «Седов» для высадки экспедиции Г.А. Ушакова на Северную Землю был открыт остров Визе, названный в честь профессора Визе. И сейчас О.Ю. Шмидт смог определить точное положение еще одного отдаленного острова в Карском море – острова Уединения.

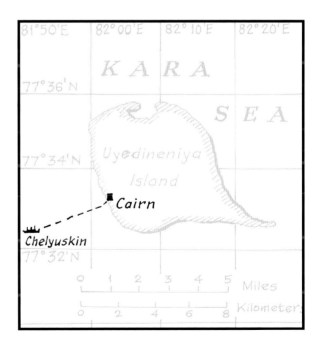

Northern Digression

Отклонение к северу

Help from the Sedov

The *Chelyuskin's* further progress was guided by the *Sedov* ice breaker, which had also arrived in the vicinity of Uyedinenie Island.

Babushkin and his trusty Shavrov Sh-2 had located ice-free water to the north, so Voronin followed a course in that direction, even though the ship's condition was not encouraging. Examination from the ship's boat revealed deep dents in the starboard side, while on the port side, the plating had sustained numerous concave areas and even some cracks. The damage had been done when the ship had been following the *Krasin* ice-breaker through too narrow a passage in the unforgiving pack ice.

Помощь «Седова»

Дальше «Челюскин» продвигался вместе с ледоколом «Седов», который также прибыл к острову Уединения.

Бабушкин на своем верном «Шаврове Ш-2» нашел открытую воду с севера, и Воронин направил корабль в этом направлении, несмотря на то, что состояние судна не внушало оптимизма. Осмотр с корабельной шлюпки показал наличие глубоких вмятин как с правого, так и с левого борта, обшивка была сильно помята и даже треснула в некоторых местах. Повреждения были получены во время следования за ледоколом «Красин» по узкому проходу через ледяные торосы.

Speeding Up

For four days from 24 August, Captain Voronin diverted from the planned route around Severnaya Zemlya (North Land) to enter the Laptev Sea through its northern straits. He wrote about it in his voyage report, and the authentic record of the route testifies to the change of course. On 26 August, at 12 noon, when the *Chelyuskin* was at 77° 48' latitude, it started to skirt the edge of the ice to the north. By the next day, at 2.45 p.m., the ship had reached 79° 45' latitude, 81° 21' longitude. During the period of slightly more than a day, it had made almost two degrees of latitude, and had probably reached a record speed for a vessel of its class.

Ускорение

С 24 по 28 августа капитан Воронин изменил взятый курс вокруг Северной Земли для того, чтобы выйти в море Лаптевых через северные проливы. Он писал об этом в своем отчете о плавании, и в подлиннике судового журнала также содержится запись об изменении курса. 26 августа в 12 часов дня, когда «Челюскин» находился на широте 77° 48', он дошел до северного края льда. На следующий день в 14:45 часам корабль достиг 79° 45' широты и 81° 21' долготы. Чуть больше, чем за один день он прошел почти два градуса широты и, вероятно, поставил рекорд скорости для судов своего класса.

More Air Reconnaissance

On 27 August, Babushkin and Voronin made their third air reconnaissance in the little Shavrov Sh-2 (see opposite page). They could see ice-free water in the north-west, whereas there were solid ice-fields in the north-east. They were close to Pioneer Island of the North Land when the way was blocked by heavy ice, which neither the *Chelyuskin* nor the *Sedov* could overcome. They were obliged to turn southward.

Once again, on the next day, they approached Uyedinenie Island, this time from the north. Voronin then headed for the Siberian shore, and, moving along the coastline, entered the Boris Vilkitsky Strait which, according to Yu.K.Khlebnikov, the *Sibiriakov* captain, was free of ice, thanks to southerly winds, and was open for passage.

Больше ледовой разведки

27 августа М.С. Бабушкин и В.И. Воронин совершили свою третью воздушную разведку на «Шаврове Ш-2» (см. следующую страницу). Они увидели открытую воду на северо-западе и поля прочного льда на северо-востоке. Когда они вышли на траверз острова Пионер Северной Земли, путь преградил тяжелый лед, сквозь который не могли пробиться ни «Челюскин», ни «Седов». Они были вынуждены отвернуть к югу.

На следующий день они снова подошли к острову Уединения на этот раз с севера. Воронин направился к сибирскому берегу и, двигаясь вдоль побережья, вошел в пролив Бориса Вилькицкого, который по словам Ю. К. Хлебникова, капитана «Сибирякова», освободился ото льда благодаря южному ветру и был открыт.

The Vilkitsky Strait separates the Severnaya Zemlya from the Siberian mainland at its most northerly point, named after the explorer S.I. Chelyuskin (see page 10). On 1 September, most appropriately, the *Chelyuskin* made a rendezvous with five other Soviet ships that were in this ice-free neighborhood. Sirens were sounded, boats were lowered, visits made and there was much celebration between the crews of Voronin's ship and those of the *Krasin, Sedov, Stalin, Rusanov,* and *Siberiakov.* This unique occasion was marked by the artist Reshetnikov's on-the-spot painting.

Пролив Вилькицкого отделяет Северную Землю от континента в его самой северной точке, названной в честь исследователя С. И. Челюскина (см. стр. 10). 1 сентября «Челюскин» отметил встречей с пятью другими советскими кораблями, «Красиным», «Седовым», «Сталиным», «Русановым» и «Сибиряковым», которые находились в этом свободном ото льда районе. Сирены гудели, шлюпки были спущены на воду, команды ходили в гости с корабля на корабль и праздновали от души. Эту уникальную встречу изобразил прямо на месте художник Решетников.

The Shavrov Sh-2

«Шавров Ш-2»

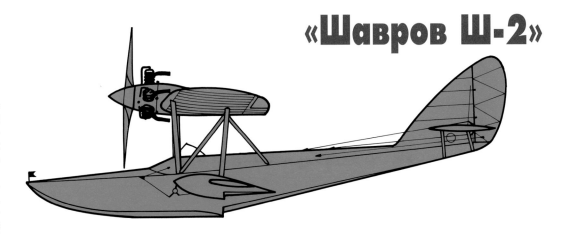

Impudence before Dignity

This little airplane deserves far more recognition than has hitherto been accredited to it. Even by the standards of the early 1930s, it was a flimsy and diminutive type, and operated during a time when large aircraft were regarded as the major design objectives. Yet the Sh-2 did manage to serve in remote areas where only small aircraft could be operated, such as on Siberian rivers, and, as narrated in this book, perform with distinction in a unique manner.

It made many reconnaissance flights during the voyage of the *Chelyuskin*, seeking areas of clear water and the best directions for the ship to proceed. In spite of all the hazards during the epic adventure, the versatile Shavrov was sturdy enough to survive the forces of Nature, and, as will be seen later, to contribute further to the survival of the crew members. The aircraft is now preserved in the Arctic and Antarctic Museum in St. Petersburg.

Artist's Note: This sleek and diminutive seaplane exhibited aerodynamic lines that were well ahead of its time. The high-mounted engine configuration was used on light seaplanes that were designed up to 40 years later.

Примечание художника: этот хрупкий маленький самолетик имел намного более совершенные аэродинамические обводы, чем все его современники. Такая высокая установка двигателя стала применяться на гидросамолетах только 40 лет спустя.

Engine	M-11 five-cylinder air-cooled radial	Двигатель ..М11, пятицилиндровый радиальный с воздушным охлаждением	
Speed	120 kph (75 mph)	Скорость	120 км/час
MTOW	935 kg (2,061 lb.)	Вес	935 кг
Max Range	1,200 km (750 miles)	Радиус полетов	1200 км

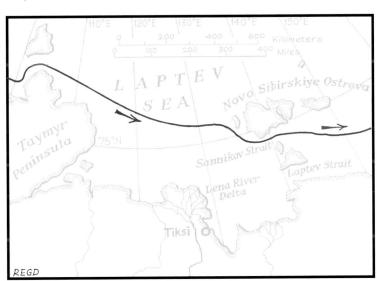

As the Chelyuskin *proceeded eastward, conditions deteriorated, and there was no help from the ice-breakers, which were damaged. Voronin was only the second Captain to take his ship through the Sarnikov Strait.*

Во время движения «Челюскина» на восток погодные условия ухудшились, и он уже не мог рассчитывать на помощь ледоколов, которые сами получили повреждения. В.И. Воронин был всего вторым капитаном, которому удалось провести свой корабль через пролив Санникова.

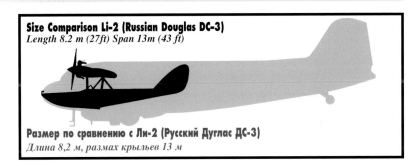

Size Comparison Li-2 (Russian Douglas DC-3)
Length 8.2 m (27ft) Span 13m (43 ft)

Размер по сравнению с Ли-2 (Русский Дуглас ДС-3)
Длина 8,2 м, размах крыльев 13 м

Мал да удал

Этот маленький самолет заслуживает большого признания. Даже по меркам начала 30-годов он казался хрупким и миниатюрным. Он был создан в то время, когда все силы были направлены на строительство больших самолетов. «Ш-2» служил в отдаленных районах сибирских рек, где возможно использование только небольших самолетов, и, как рассказывается в этой книге, выполнял уникальные задачи.

Он сделал много разведывательных полетов на «Челюскине», находя открытую воду и выбирая наилучшее направление движения корабля. Несмотря на все невзгоды этой эпопеи, «Шаврову» хватило прочности противостоять силам природы, и, как будет видно далее, он внес большой вклад в спасение участников экспедиции. В настоящее время самолет находится на хранении в Музее Арктики и Антарктики в С.-Петербурге.

Onward to the East

Продвижение на восток

Ice-Breaker Casualties

In the Laptev Sea, a radio message was received that one of the three propeller blades of the *Krasin* ice-breaker had broken, and consequently had lost one-third of its power. It was thus severely handicapped for its assigned task. The *Litke* ice-cutter was also not fully operational and could not help the *Chelyuskin* either, and so the situation was becoming very serious. Furthermore, on 8 September, the north-east flight group chief pilot, G.D. Krasinsky, sent a radio message to O.J. Schmidt to report that the condition of the ice in the Chukchi Sea was becoming extremely risky.

Повреждение ледоколов

В море Лаптевых было получено сообщение о том, что одна из трех лопастей винта ледокола «Красин» сломана, что означало потерю трети мощности и делало ледокол неспособным выполнить возложенную на него задачу. Ледорез «Литке» также был частично неисправен и не мог помочь «Челюскину» - положение было очень серьезное. Мало того, 8 сентября, руководитель северо-восточной летной группы Г. Д. Красинский прислал О. Ю. Шмидту радиограмму о том, что ледовая обстановка в Чукотском море становится исключительно опасной.

Through the Sannikov Strait

On 8 September the *Chelyuskin* reached the East Siberian Sea through the Sannikov Strait. This was only the second time when any ship had ever passed through this little-explored strait, the first having been the voyage of the *Polar Star* schooner in 1926. Consequently, the chart was unreliable and Captain Voronin was obliged to steer his ship with great care, sounding the depth every half-hour. Then the echo-sounder went out of order, and dead-reckoning calculations proved to be uncertain because of drifts in the currents and a deficient compass. But thanks to Voronin's experience, the *Chelyuskin* navigated through the strait without any further damage.

In the East Siberian Sea, the ice conditions deteriorated. Heavy floes started to appear, in addition to the surface pack ice. On 9-10 September, after hitting a big block of ice—effectively a small iceberg—the ship sustained large dents in both the starboard and port sides; and one of the frames broke. Between the starboard stringers and the lower deck beam, rivets were cut off. The leaks in the damaged areas became worse. The *Chelyuskin* was now severely damaged.

Через пролив Санникова

8 сентября «Челюскин» достиг Восточно-Сибирского моря через пролив Санникова. Он был всего вторым кораблем, который прошел через этот малоизученный пролив, первой в 1926 г была шхуна «Полярная звезда». Карта была ненадежным помощни-

ком, и капитан В.И. Воронин был вынужден вести свой корабль с большой осторожностью, каждые полчаса проверяя глубину. Затем вышел из строя эхолот, и на результаты вычислений стало трудно полагаться из-за дрейфа, вызванного течениями, и неисправности компаса. Только благодаря опыту В.И. Воронина «Челюскин» прошел через пролив без приключений.

В Восточно-Сибирском море ледовая обстановка ухудшилась. Появились торосы и гигантские льдины. 9-10 сентября налетев на большую льдину, сравнимую с небольшим айсбергом, корабль получил серьезные повреждения обоих бортов, одна из рам сломалась, заклепки между стрингерами правого борта и нижним бимсом были срезаны. Течи в поврежденных местах усилились. Теперь «Челюскин» был действительно серьезно поврежден.

A Non-Discovery

At the Medveshy (Bear) Islands latitude, the expedition was supposed to search once again for the so-called Andreev's Land. The *Chelyuskin* managed to advance further than any other vessels had done before, but was unable to solve the mystery, as it was impeded by large ice floes and icebergs.

Returning south, Voronin steered towards the shores of Chukotka. The ice-fields were now welded together with young ice and were becoming more menacing. "The vessel is weak and does not answer the helm well" Voronin complained. As he approached Cape Shelagski, and later, Cape Yakan, heavy ice blocked the way. More and more alarming reports were received directly from Krasinsky on his ice-patrol flights near the Chukotka coast. On 9 September, Schmidt confirmed: "The *Chelyuskin* is going along the 72° parallel eastward, longitude at 19.00 hours 158°. We are not planning to go down to the continent. Air patrol is of vital importance. If the fog allows, make a flight to Cape Blossom (Wrangel) and further to the west."

Несостоявшееся открытие

На широте Медвежьих островов экспедиция должна была попытаться обнаружить так называемую Землю Андреева. Хотя «Челюскин» продвинулся дальше всех других кораблей, ему так и не удалось разгадать эту загадку из-за большого количества крупных плавучих льдин и айсбергов.

Повернув на юг, В.И. Воронин направлялся к берегам Чукотки. Старые ледяные поля срастались с молодым льдом и становились все более угрожающими. «Судно слабое и плохо слушается руля», - жаловался В.И. Воронин. При приближении к мысу Шелагский и далее к мысу Якан тяжелые льды преградили им путь. Все более и более тревожные сообщения поступали от Красинского и его команды, которые летали вдоль побережья Чукотки, проводя ледовую разведку для «Челюскина».

9 сентября Шмидт подтвердил: «Челюскин» движется вдоль 72° параллели на восток, долгота на 19:00 часов 158°. Мы не планируем движение в сторону материка. Воздушная разведка жизненно необходима. Если позволит туман, просим вас лететь на мыс Блоссом и далее на запад».

These scenes vividly illustrate the severe conditions of the Arctic pack-ice which the Chelyuskin *had to face during its epic voyage.*

Эти снимки точно отображают суровые условия арктических ледяных торосов, в которых оказался «Челюскин».

Obstacles to Progress

Wrangel Island Relief Cancelled

On 12 September, F.K. Kukanov and G.D. Krasinsky flew to Wrangel Island, and reported impenetrable ice conditions. Their air patrol showed that all plans to reach Wrangel Island during the current season must be abandoned because of the sold ice. But the *Chelyuskin* was able to make its way slowly in ice-free water about 20 miles from the Siberian shore.

Помощь острову Врангеля отменена

12 сентября Ф. К. Куканов и Г. Д Красинский полетели на остров Врангеля и доложили о непроходимых льдах на этом пути. Их ледовая разведка показала, что все планы по достижению острова Врангеля в текущий сезон должны быть отменены из-за непроходимого льда. Однако, «Челюскин» мог медленно продолжать свое путешествие по открывшейся воде в 20 милях от Сибирского берега.

On to Cape Severniy

The *Chelyuskin* was now approaching the Bering Strait, but communication with Wrangel Island continued. On 15-16 September, on Krasinsky's advice, Scbmidt and P.S.Buyko, a new chief of the polar station, made a successful flight to Rodgers Bay on the Island, on F.K.Kukanov's airplane. On the return flight, they made a detour towards Herald Island, and only then went to Cape Severniy (North Cape), which the *Chelyuskin* had reached by that time.

On this once-deserted cape was now a whole settlement, with a local radio station, administrative buildings, and dwelling houses.

На мыс Северный

«Челюскин» приближался к Берингову проливу, но оставался на связи с островом Врангеля. 15-16 сентября по совету Г.Д. Красинского О.Ю. Шмидт и П. С. Буйко, новый начальник полярной станции, на самолете Ф. К. Куканова совершили успешный полет в бухту Роджера. На обратном пути они сделали крюк к острову Геральда и только после этого полетели на мыс Северный, куда к этому времени пришел «Челюскин».

На этом когда-то безлюдном мысе расположился теперь целый поселок с местной радиостанцией, административными зданиями и жилыми домами.

Ominous Signs

"From where you are" Krasinsky reported "in the direction of Vankarem there is a zone of rarified, and in some places, scattered ice, with one dam of solid ice at a distance of 17 miles from you, and another ice dam near Vankarem. To the north of the Cape, also directly to the east, there is scattered ice; further on there is an ice field, which can be doubled from the south and then from the east; after that you can set your course for Ohnman, approximately two miles to the north of the latter. From Ohnman, up to the northern shore of Koluchin Island, the ice varies—ranging from force 3 to 9. One or two miles to the north of Koluchin, the ice is almost dispersed; further, in the direction of Genretlen, there is more ice of different density, scattered in some places, but in others, it reaches force 8-9."

"To the east of Sertse Kamen (Heart of Stone) the ice is weak and only at the mouth of the strait is there 5 miles width of solid ice stretching inside the mouth of the strait." Such ice could have been overcome with the help of an ice-breaker; but for the *Chelyuskin* it presented a serious danger. In Voronin's report there is an ominous entry: "On 17 September we entered a zone of heavy ice at 68° 48' latitude and 178° 34' west longitude. In the engine-room we have discovered two dents. There is an insignificant leak in the stokehold." A day later, Voronin wrote: " . . . In the evening, after hitting against the ice on the port side, part of frame number 2 was broken." And a formidable ice dam still lay ahead, through which they were supposed to force a crossing.

At the end of September, the north east winds brought masses of heavy ice close to the coast. The Litke ice-cutter that had been near the Koluchin inlet had a narrow escape. As for the crippled Chelyuskin, it failed to overcome the two-year-old heavy ice barrier at the approach to the Koluchin inlet. It could move forward, but only at a snail's pace.

Предвестники беды

«От того места, где вы находитесь, - сообщал Г.Д. Красинский, - в направлении Ванкарема находится зона разреженного и местами скученного льда с одним большим затором на расстоянии 17 миль от вас и еще одним затором недалеко от Ванкарема. К северу от мыса, а также прямо на востоке просматриваются отдельные льдины, далее по курсу ледяное поле, которое можно обойти с юга, а затем с востока. Далее вы можете двигаться к Онману примерно в двух милях к северу от него. Оттуда до самого северного берега острова Колючина плотность льда колеблется от 3 до 9 баллов. В одной-двух милях к северу от Колючина лед почти разреженный, далее в направлении Генретлена имеется много льда различной плотности, местами разреженного, на отдельных участках плотность 8-9».

«К востоку от Сердце Камня лед слабый, только в устье пролива прочный лед шириной 5 миль, который тянется вдоль пролива». Такой лед можно было преодолеть с помощью ледокола, но для «Челюскина» он представлял серьезную опасность. В отчете В.И. Воронина появилась угрожающая запись: «17 сентября мы вошли в зону тяжелого льда на 68° 48' широты и 178° 34' западной долготы. В машинном отделении обнаружено две вмятины. В кочегарке несущественная течь».

Новые препятствия

День спустя Воронин писал: «... Вечером от удара об лед левым бортом часть рамы номер 2 сломалась». Чудовищная ледяная громада, через которую им придется идти, ждала впереди.

В конце сентября северо-восточный ветер подогнал к берегу массы тяжелого льда. Ледорез «Литке», который находился в Колючинской, едва сумел пробраться через узкий проход. Что касается потрепанного «Челюскина», ему не удалось пробиться через двухлетний ледяной барьер на подходе к устью Колючинской губы. Он мог двигаться вперед, но только с черепашьей скоростью.

Struggling On

More Damage

Babushkin's little Sh-2 floatplane kept making air patrols and helped to find a slow passage in ice-free water. But the Chelyuskin had to stop frequently until, at last it became frozen in the grip of the ice. It then began to drift, along with the ice-floe to which it was now attached, in the direction of the Bering Strait. An inspection revealed that a quarter of the screw propeller blade had broken off.

On 20 September, Koluchin Island appeared ahead and the vessel was driven directly towards it, but thankfully it drifted past. The drift lasted several days and the following entry was made in the log-book: "On the port side the ice is hummocky. The vessel is visibly moving on together with the ice. The ice on the starboard side is stationary. The engine rotates as far as possible. In Hold No. 1 the deformation is being monitored by engineer physicist I.G. Fakidov, and the captain's chief mate, S.V .Gudin. The jamming is accompanied by heavy blows against the port side, where there is very bad deformation, stretching from Hold No. 2 up to the bow.

Снова поломки

Маленький «Ш-2» Бабушкина продолжал ледовую разведку и помогал находить проходы открытой воды. Но «Челюскин» был вынужден часто останавливаться, пока не оказался вмерзшим в лед. Затем он начал дрейфовать вместе со льдиной, к которой примерз, по направлению к Берингову проливу. Проверка показала, что от лопасти гребного винта отломана четверть.

20 сентября впереди показался остров Колючин. Их несло прямо на него, но, к счастью, пронесло мимо. Дрейф продолжался несколько дней, и в бортовом журнале появилась следующая запись: «По левому борту торосистый лед. Судно явно двигается вместе со льдом. Лед по правому борту стабильный. Двигатель на максимальных оборотах, поломка в трюме №1 находится под контролем инженера-физика И. Г. Факидова и первого помощника капитана С. В. Гудина. Защемление

сопровождается сильными ударами о левый борт, где имеется сильная деформация на участке от трюма №2 до носа.

Ice-Bog

Finally the *Chelyuskin* stopped. Captain Voronin called the ice that was holding the ship captive "a dead, stagnant ice-bog." "Had the *Chelyuskin* been frozen into the moving ice" he wrote "it would already have been in the Bering Strait." But the ice immediately around him was motionless.

Ледяная трясина

В конце концов, «Челюскин» встал. Капитан В.И. Воронин назвал лед, удерживающий корабль в ледяном плену, «смертельным стоячим ледяным болотом». Если бы «Челюскин» вмерз в дрейфующий лед, мы были бы уже в Беринговом проливе, но лед вокруг корабля был неподвижен.

Preparing explosives   *Подготовка взрыва*

Blasting the ice   *Взрыв льда*

Blasting

Attempts were made with the help of explosives to wrench free of the frozen grip of the ice, but in vain. The wave caused by the blast would make a big hole in the ice, but would not cause a crack. The massive extent and comparative solidity of the ice defied all blasting attempts. The only way of escape was to wait for a southern wind.

Применение взрывчатки

Они пытались высвободиться из ледяного капкана при помощи взрывчатки, но безуспешно. Взрывная волна пробивала во льду большие дыры, но трещин не образовывалось. Большая масса и достаточно высокая плотность льда сводили на нет весь эффект взрывов. Оставалось только ждать южного ветра.

The explosives available to the Chelyuskin *did no more than make a big hole in the ice. The ship did not budge an inch.*

Взрывчатка, имеющаяся в распоряжении челюскинцев, сделала только большую дыру во льду. Корабль не сдвинулся ни на миллиметр.

The First Evacuation

On 3 October 1933, eight members of the expedition (one of them had fallen ill) were evacuated from the ship, which had managed to sail close enough to the shore at Kolyuchin island for them to be lowered carefully on to the pack-ice, and then carried to the shore on sleds.

3 октября 1933 года восемь членов экспедиции (в том числе один больной) были эвакуированы с корабля, который сумел подойти достаточно близко к острову Колючин. Людей осторожно спустили на лед и отправили на берег на нартах.

The scene near Kolyuchin island, when the Chelyuskin was still under its own control and able to unload goods and people, who were then taken to Uelen.

У острова Колючин, когда «Челюскин» еще мог самостоятельно двигаться, на выгрузке товаров и людей, которых потом отправили на Уэлен.

Первая эвакуация

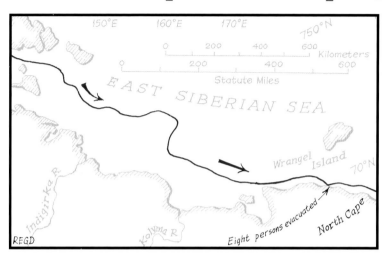

Progress eastwards in the East Siberian Sea was comparatively straightforward, even allowing a stop at North Cape for emergecny evacuation of a member of the expedition who had fallen ill.

Продвижение на восток по Восточно-Сибирскому морю было относительно несложным и даже позволило сделать остановку у мыса Северного для аварийной высадки больного члена экспедиции.

The First Evacuation

Finally it was decided to "break through the ice." A great "all hands on the job" was announced. The ammonal explosions would crush the ice into small "ice-porridge," which would be fished out of the water, loaded on to a wide sledge, and taken far away from the vessel, beyond the zone of the clearing. Some Chukchees arrived from the shore, and said that the ice was sure to be torn away soon. Schmidt went ashore, and persuaded the local authorities there to organize the evacuation of some of the expedition. And so, on 3 October, eight of the Chelyuskinians were carried to the shore on four dog-sleds, so that now 105 men and women, including children Karina and Alla, remained on the ship.

Then the situation improved. On 5 October, while the emergency work was in full swing, southern winds began to blow. The *Chelyuskin* tore itself away from the grip of the ice and began to move eastward once again.

Первая эвакуация

В конце концов, они решили «прорываться через лед». Был брошен девиз «Все - за работу». Взрывами лед превращали в мелкую «ледяную кашу», которую можно было доставать из воды, грузить на большие сани и увозить далеко от судна. Чукчи, подошедшие с берега, сказали, что лед наверняка скоро тронется. О.Ю. Шмидт отправился на берег и убедил местные власти эвакуировать часть экспедиции. И вот 3 октября восемь Челюскинцев были отправлены на материк на четырех собачьих упряжках. Теперь на корабле оставалось 105 человек, включая маленьких Карину и Аллу.

Далее ситуация улучшилась, и 5 октября, когда аварийные работы были в самом разгаре, подул южный ветер. «Челюскин» вырвался из ледяного капкана и двинулся на восток.

33

End of the Voyage

Конец плавания

Visit to Wrangel

Even in the 1920s, commercial aircraft had been opening up communication with the remote areas of Siberia; and one of these, a Junkers-F 13 floatplane, was at North Cape. O.J. Schmidt flew with Kukanov, the pilot, and Byko, to Wrangel Island, no doubt to bring them the disappointing news that the relief party would not arrive on the *Chelyuskin*.

Визит на Врангель

Уже в 20-ые годы существовало коммерческое авиасообщение с отдаленными районами Сибири. Одним из самолетов, летающих по этому маршруту, был «Юнкерс Ф13», который находился на мысе Северном. О. Ю. Шмидт вместе с пилотом самолета Ф.К. Кукановым и П.С. Буйко вылетели на остров Врангеля, чтобы сообщить печальную новость о невозможности прибытия долгожданной партии с «Челюскина».

When the Chelyuskin *met clear waters, O.J. Schmidt was able to visit Wrangel Island.*

Когда «Челюскин» вышел на открытую воду, О. Ю. Шмидт смог отправиться на остров Врангеля.

Slow Going

Captain Voronin managed to steer his ship into ice-free water, but this respite was short-lived. Near Cape Serdtse-Kamen (Heart of Stone), the sea became frozen again. The ship was now carried sometimes to the east, sometimes to the west, bonded with the pack-ice, and took three days to pass the Cape.

The expedition chiefs appealed to the *Litke* ice-cutter captain for help, but he was not able to break through the heavy ice and lead the steamer out into clear water. Also, the ice-cutter itself was running short of its coal reserves and had sustained damage to its rudder head, as well as losing a propeller blade.

Медленное продвижение

Капитан В.И. Воронин вел корабль по открытой воде, но это продолжалось недолго. Возле мыса Сердце Камень море снова замерзло. Корабль теперь двигался вместе со льдом то на восток, то на запад и обогнул мыс за три дня.

Руководство экспедиции обратилось за помощью к капитану ледореза «Литке», но тот не мог пробиться через тяжелый лед и вывести корабль на открытую воду. К тому же у него кончались запасы угля, был поврежден руль и оторвана одна из лопастей гребного винта.

Almost There

On 20 October, a hard north-west gale started to blow and the *Chelyuskin* was swiftly carried back on a reverse course. By 24 October it was again near Idlidl Island, which it had passed a fortnight earlier. This time the vessel became firmly frozen into a huge ice field and was again carried along to Cape Serdtse-Kamen, and then, on 4 November, into the Bering Strait, stern first. Thus, in one sense of the term, the objective of the expedition seemed to have been achieved. Even if it had entered the Strait backwards and not even under its own steam, the *Chelyuskin* had covered the northern shipping route in two months and twenty-four days.

The badly-damaged ship had managed to repeat the Sibiriakov voyage, and had been expected to go further. But this was out of the question. The *Chelyuskin* was firmly gripped in the unforgiving ice and was unable to break through into ice-free water, just three or four kilometers away.

The ship had entered a branch of the northern current that passed by the Herald shoal and into the Arctic basin and then on to the shores of Greenland. The reason for the twisted loops of direction experienced as it drifted were caused by the force of the winds which conflicted with the current's direction.

Urgent measures were necessary, even though the people on the ship were unaware of the severity of the situation. Pilot Cherniavsky, who kept making patrol flights, encouraged them by reporting the lights of Naukan, the last settlement at the extreme northeastern point of the Chukchi peninsula. And they could even hear the noise of the waves in the Bering Sea, only a few miles away.

Почти у цели

20 октября начавшийся сильный северо-западный ветер потащил «Челюскина» в обратном направлении. К 24 октября он снова был возле острова Идлидля, мимо которого он уже проходил две недели назад. На сей раз судно прочно вмерзло в гигантское ледяное поле, его снова отнесло к мысу Сердце-Камень, а затем 4 ноября они вошли кормой в Берингов пролив. Итак, в некотором смысле цель экспедиции казалась достигнутой. Несмотря на то, что «Челюскин» вошел в пролив кормой и не своим ходом, он преодолел Северный Морской путь за два месяца и двадцать четыре дня.

Сильно поврежденный корабль смог повторить плавание «Сибирякова» и должен был по плану идти дальше. Но об этом не могло быть и речи. «Челюскин» был прочно закован в беспощадный лед и не мог пробиться к открытой воде на расстоянии всего трех - четырех километров от него.

Корабль попал в ответвление северного течения, которое несло его мимо банки Геральда в Арктический бассейн и затем к берегам Гренландии. Такой извилистый путь судна объяснялся тем, что направление ветра не совпадало с направлением течения.

Необходимо было принять срочные меры, хотя люди не представляли себе всю серьезность положения. Пилот Чернявский, который осуществлял ледовую разведку, обнадежил их тем, что увидел огни Наукана, последнего селения в самой северо-восточной точке Чукотского полуострова. Вскоре им даже стали слышны волны Берингова моря, которое было всего в нескольких километрах от них.

The Litke    «Литке»

The Litke Offers Help

At last, on 5 November, the *Litke* ice-cutter offered to help. Schmidt's reply to the offer, recorded later by Expedition Chief Λ.P .Bochek, was non committal: "The *Litke* help may prove to be indispensable in certain circumstances. If necessary, we are going to apply to you for help and accept it gratefully. At the moment the situation is indefinite. Since last night, the *Chelyuskin* has been drifting quickly to the north, which gives us hope that the ice field may break up." But the pack-ice never did break up. The ship was carried further into the Arctic Ocean.

On 12 November, the ice-breaker left Providence Bay and headed for the Chukchi Sea. But the further it advanced, the more hazardous the voyage became. On 16 November, Bochek announced that the *Litke's* progress came to a halt. Next day, the Soviet Sovnarcom vice-chairman, V.V.Kuibyshev, sent a telegram from Moscow, placing the ice-breaker under the complete authority of O.J.Schmidt. Twenty minutes later, A.P.Bochek welcomed the Sovnarcom decision and asked Schmidt to order the *Litke* out of the ice zone immediately.

Indeed, the ice-cutter was in bad shape also, almost as vulnerable as the ice-bound ship. Bochek suggested that Captain Nikolaev should beach the Litke on the shore of Alaska to save its crew, as it might not be able to return to Providence Bay because it was low on coal, and it was too damaged to be able to survive a winter in the pack-ice.

Soon afterwards, there was a short meeting on board the *Chelyuskin*, and it was decided to let the *Litke* fend for itself. The 105 now shipwrecked crew and passengers would have to spend the winter alone on the Arctic ice.

«Литке» предлагает помощь

Наконец 5 ноября ледорез «*Литке*» смог предложить свою помощь. Ответ Шмидта, записанный начальником экспедиции А. П. Бочеком, фактически был отказом: «Помощь «*Литке*» может оказаться неоценимой при определенных обстоятельствах. При необходимости мы обратимся к вам за помощью и примем ее с благодарностью. В данный момент ситуация неопределенная. С прошлой ночи «Челюскин» быстро дрейфует на север, что позволяет надеяться, что лед может начать вскрываться». Однако дрейфующий лед так и не вскрылся. Корабль уносило все дальше в Северный Ледовитый океан.

12 ноября ледорез покинул бухту Провидения и направился в Чукотское море. Чем дальше он двигался, тем опаснее становилось положение. 16 ноября Бочек сообщил, что «*Литке*» встал. На следующий день заместитель председателя Совнаркома В. В. Куйбышев прислал из Москвы телеграмму, передающую ледокол в полное распоряжение О. Ю. Шмидта. Двадцать минут спустя А. П. Бочек приветствовал решение Совнаркома и попросил Шмидта приказать «*Литке*» немедленно покинуть ледовую зону.

И действительно ледорез находился в плачевном состоянии, ничуть не лучшем, чем скованный льдом «Челюскин». Бочек предложил капитану «*Литке*» Н.М. Николаеву пристать к берегу Аляски, чтобы сохранить команду. Вернуться в бухту Провидения не было возможности из-за недостаточных запасов угля, а зимовать во льдах не позволяли слишком серьезные повреждения корабля.

Вскоре состоялась короткая встреча, на которой было решено отпустить «*Литке*». И теперь все 105 человек с потерпевшего крушение корабля были вынуждены провести зиму в одиночестве на арктическом льду.

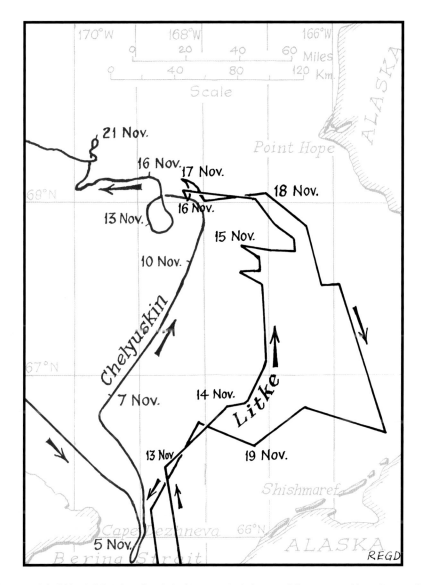

The crew of the Litke *did their best, but their ship was crippled too, and they were unable to do more than approach the* Chelyuskin. *Clearly, in the future, more powerful ice-breakers would be needed if a route across the Arctic Ocean was to be developed.*

Команда «Литке» сделала все, что могла, но их корабль также был сильно поврежден, и максимум что мог сделать, это дойти до «Челюскина». Очевидно, для будущего развития судоходства в Северном Ледовитом океане требовалось строить более мощные ледоколы.

The Drift

Setbacks

Soon afterwards, the *Chelyuskin's* steering gear was damaged so badly that the ship became unmanageable. Then, on 17 November, Babushkin's airplane was caught by a hawser and put out of operation. To crown everything, a message came from Cape Severnyj (North Cape) that the N-4 aircraft that had planned to evacuate some of the Chelyuskinians on the mainland had lost its landing gear. Clearly a long winter sojourn was inevitable. Accordingly, the reserve of victuals and other provisions and necessities that belonged to the crew, the expedition personnel, and the Wrangel Island relief party: all was taken stock of and divided among the three holds and on the deck so that, in case of dire emergency, everything could be unshipped quickly on the ice.

The *Chelyuskin* drifted further away from the shore. The log-book recorded, "There is a snowstorm. . . . The cracks going to the right of the ship has caused a rupture of the ice across the vessel. The ship is being powerfully jammed from both sides." They were 75 miles from the nearest land.

Препятствия

Вскоре судовая машина « Челюскина » получила такие повреждения, что корабль стал неуправляемым. Затем 17 ноября самолет Бабушкина зацепился за трос и вышел из строя. И в довершение всего, с мыса Северный пришло сообщение, что у самолета «Н-4», на котором планировалось эвакуировать на материк некоторых челюскинцев, оторвалось шасси. Стало ясно, что продолжительное пребывание на льду неизбежно. Поэтому запас провианта и снаряжение, которое полагалось команде, экспедиции и партии, направлявшейся на Врангель, - все это было собрано, распределено по трюмам и закреплено на палубе так, чтобы в случае необходимости все можно было бы срочно забрать с корабля на лед без потерь.

« Челюскин » дрейфовал все дальше от берега. В бортовом журнале записано: «Снежная буря… Трещины справа по борту вызвали разломы льда поперек судна. Корабль сильно сжат с обеих сторон». Они были в 75 милях от ближайшей земли.

Unloading Begins

On 25 November, powerful pressures began on both sides of the ship, which managed to survive only because a mass of crumbled ice around the ship acted as a buffer. But they prepared for the worst. Voronin's log-book recorded:

> An order has been given to unship the victuals on to the ice lest the vessel is crushed by the ice, so that the people should not remain without food. From afar as well as close to the vessel, we can hear hummocking of the ice.

We are unshipping the victuals for all the expedition participants...for four months"

This matter-of-fact statement must have concealed a real sense of apprehension as to the fate in store for the shipwrecked mariners.

Начало выгрузки

25 ноября лед начал сильно сдавливать корабль с обеих сторон, и это не привело к его немедленной гибели только потому, что масса раскрошенного льда вокруг судна послужила буфером. Однако они готовились к самому худшему. В бортовом журнале В.И. Воронина записано:

> Был отдан приказ выгружать провиант на лед с тем, чтобы люди не остались без пищи в случае гибели корабля. И вдалеке, и вблизи корабля мы слышим треск льда. Мы выгрузили провиант в расчете на всех участников экспедиции …на четыре месяца.

В этом сухом изложении, вероятно, скрывается мрачное предчувствие суровой участи моряков, потерпевших кораблекрушение.

First (Temporary) Camp

With everyone working day and night in the bitter sub-zero wind, a temporary camp soon appeared on the ice. It included a store for the food, a fuel dump, and three tents. Bricks, clay, and other building materials were retrieved from the ship's holds to make a stove. Early in December, when open-water spaces appeared around the ship once again, the worst danger seemed to have passed, and the temporary camp was liquidated.

Первый (временный) лагерь

Все работали, не покладая рук день и ночь на ветру при температуре существенно ниже нуля, и вскоре на льду появился временный лагерь. В нем были склад продовольствия, топлива и три палатки. Чтобы сделать печь из трюмов корабля были извлечены кирпичи, глина и другие строительные материалы. В начале декабря вокруг корабля снова появились участки открытой воды. Казалось, что главная опасность миновала, и временный лагерь был ликвидирован.

Fortunately, among all the supplies and victuals that were unloaded from the Chelyuskin *before it sank was the precious Shavrov Sh-2 floatplane.*

К счастью, среди припасов и снаряжения, выгруженного с «Челюскина», был бесценный самолет «Шавров Ш-2».

Drift of the Chukchi Sea

Дрейф по Чукотскому морю

Turn-About

On 1 December, Voronin tried to move south, but managed to advance only four miles. The captain searched for open water and steered the Chelyuskin to the south-east. But on 3 December, the ship was finally halted, and it never moved again under its own steam. Communication with the mainland never stopped. Radio operators Krenkel, Ivanov and Ivanyuk would tune into the world news broadcasts and pass the word along to his comrades. Special bulletin was broadcast from Moscow every day. The Chelyuskinians did not feel completely isolated. Regular wall papers called SMP (Northern Shipping Route) and the *Ice Crocodile* were issued by the talented F. Reshetnikov. Telegrams of encouragement also kept pouring in from all over the country to keep up their spirits.

Поворот

1-го декабря В.И. Воронин попытался повернуть к югу, но сумел продвинуться только на четыре мили. Капитан искал открытую воду и направлял «Челюскин» на юго-восток. Но 3 декабря корабль окончательно застрял и уже больше никогда не двигался своим ходом. Сообщение с материком все это время не прекращалось. Радисты Э.Т. Кренкель, С.А. Иванов и В.В. Иванюк находили волну международных новостей и рассказывали обо всем своим товарищам. На борт корабля Москва ежедневно передавала специальный бюллетень. Челюскинцы не чувствовали себя полностью отрезанными от мира. Регулярно выходили стенгазеты «СМП» (Северный морской путь) и «Ледяной крокодил», которые выпускались талантливым художником Ф.П. Решетниковым. Постоянно со всех концов страны приходили телеграммы, которые поддерживали боевой дух челюскинцев.

Lessons from the Drift

The scientists now carried on their observations even more intensively than during the ship's free voyage, making 2,700 determinations of the drift track and, later, 64 of the ice floe drift. They tracked the *Chelyuskin's* drift from the Bering Strait to the location of the shipwreck, an estimated 1,103 miles, of which 989 were by the vessel itself and 114 on the ice camp.

Until 12 December, the drift currents predominated and they carried the ship westward, then constant sea currents carried it to the north. From 23 January until 13 February, the *Chelyuskin* was subjected to the drift currents once more. Frequent changes of prevailing currents explained the ship's relatively insignificant drift away from the shore as well as the intricate pattern of the track of the drift.

Уроки дрейфа

Теперь ученые проводили свои наблюдения даже более интенсивно, чем во время свободного плавания. Было сделано 2700 замеров направления дрейфа и позже 64 замера дрейфа льдины. Они отследили дрейф «Челюскина» от Берингова пролива до места крушения, что составило примерно 1103 мили, из которых 989 корабль прошел сам и 114 – вместе с ледовым лагерем.

До 12 декабря преобладали подводные течения, которые несли корабль к западу, а затем постоянное морское течение потащило его на север. С 23 января по 13 февраля «Челюскин» снова оказался во власти подводных течений. Частые смены преобладающих течений объясняют незначительное расстояние дрейфа от берега, а также извилистость траектории движения корабля

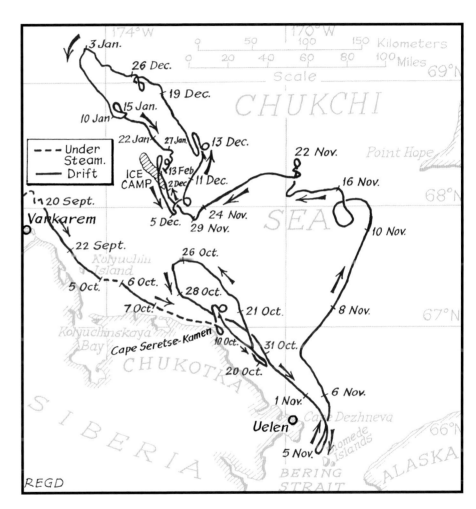

This map illustrates the torturous meandering of the doomed Chelyuskin *as it was gripped inescapably in the pack-ice of the Chukchi Sea.*

Эта карта показывает извилистый путь скованного льдами «Челюскина» по Чукотскому морю. Усилия ледокола «Литке» были бесплодными (см. карту на стр. 35).

Desperate Hours

Unrelenting Ice

During the drift, the menace of the ice was always present. To predict the hummocking, a tent was erected to monitor the fluctuation and so to judge the danger level. This observation work was conducted by geophysicist I. Fakidov. On 12 February, late at night, strong pressures on the ship's hull began, accompanied by hollow sounds, as the ice cracked. Voronin wrote: "We came out several times with torches to inspect. But a strong north gale was whistling in the tackles and drowning all other sounds."

Безжалостные льды

Во время дрейфа лед всегда представлял собой главную опасность. Для предсказания образования торосов была выделена специальная палатка, где геофизик И.Г. Факидов вел наблюдения и делал оценки уровня опасности. Поздно ночью 12 февраля началось сильное давление на корпус корабля, сопровождавшееся звуками, похожими на вскрытие льда. В.И. Воронин писал: «Мы выходили несколько раз с фонарями, чтобы произвести осмотр. Но мощный северный ветер ревел так, что заглушал все остальные звуки».

The Ice Attacks

On the morning of 13 February, the drifting suddenly stopped. Fakidov reported that a hummock ridge was approaching from the south, Within four short hours, it had jammed the *Chelyuskin* from the left side. Tens of thousands of tons of ice came rushing down on the ship's weakened hull. The Chelyuskinians were by now prepared for anything. They quickly unshipped the victuals, clothes, tents, fuel, scientific gear, books, registers of scientific observations, and the precious Shavrov airplane.

Лед наступает

Утром 13 февраля дрейф внезапно прекратился. И.Г. Факидов отметил, что на юге появились гребни ледяных торосов. В течение четырех коротких часов льды сдавили «Челюскин» с левой стороны. Десятки тысяч тонн льда навалились на ослабленный каркас корабля. Челюскинцы были готовы ко всему. Они быстро выгрузили провиант, одежду, палатки, топливо, научное оборудование, книги, журналы научных наблюдений и драгоценный самолет «Шавров».

Emergency Call

At the very last minute, O.J.Schmidt tried to send a telegram to Uelen, the nearest of the mainland radio stations. Sadly, it never made contact with any receiving station. It was the *Chelyuskin's* epitaph:

The *Chelyuskin* is slowly sinking. Apart from the engine and the stoke-hold, which are already inundated, the water keeps rising in the first and second holds. An emergency unloading is being done speedily, A two-month victuals reserve for the whole complement of the ship has already been unshipped. We are trying to unship some more, if possible.

Часы безысходности

Зов о помощи

В последнюю минуту О. Ю. Шмидт попытался послать телеграмму на Уелен, ближайшую материковую радиостанцию. К сожалению, его сигнал не был принят. Эта телеграмма стала эпитафией «Челюскина»:

«Челюскин» медленно погружается. Машинное отделение и качегарка затоплены. Вода продолжает подниматься в первый и второй трюмы. Проводится срочная аварийная эвакуация. Двухмесячный запас продовольствия для всего экипажа корабля уже выгружен. Мы пытаемся выгрузить все, что только возможно.

Traditionally the captain of a sinking ship is the last to leave, even if this could mean certain death. Captain Voronin was the last off the Chelyuskin, but fortunately was able to join the ice camp.

По традиции капитан покидает судно последним даже под страхом смерти. Капитан В.И. Воронин тоже последним покинул тонущий «Челюскин», спрыгнул вниз и присоединился к толпе.

The Final Moments
Последние минуты

Casualty

A new center of ice pressure broke through the side of the ship between holds N1 and N2. The water rushed inside. The vessel's bow was quickly filled with water. The last people to leave the ship were Captain Voronin, O.J.Schmidt, and supplies manager B.G. Mogilevich. They had probably under-estimated the precariousness of the icy deck, now on a steep slope as the ship listed at the bow. Mogilevich jumped on to it and was knocked over by some loose fuel drums that came rolling down. He could not be rescued.

In the final tally of the survivors of this epic adventure, Mogilevich was the only casualty. Curiously, not counting the eight people who were taken off at the North Cape (and the stowaway who was sent back to Murmansk), the expedition ended with the same number on the ice as had started the journey, as little Karina was a precious addition.

Жертва

Лед продавил борт корабля между трюмами №1 и №2. Вода ринулась внутрь. Нос быстро заполнился водой. Последними покидали корабль капитан В.И. Воронин, О. Ю. Шмидт и завхоз Б. Г. Могилевич. Они, вероятно, недооценили коварство обледеневшей палубы при сильном носовом крене. Могилевич прыгнул на нее и был сброшен в воду катившимися под уклон пустыми бочками из под горючего. Его не смогли спасти.

Из всех участников этого эпического путешествия, Б.Г. Могилевич был единственной жертвой. Удивительно, что, не считая восьмерых человек, которые были высажены на мысе Северном (и «зайца», который быть отправлен обратно в Мурманск), экспедиция закончилась с тем же количеством участником, что и началась. Маленькая Карина оказалась драгоценным дополнением.

End of a Brave Ship

A few seconds after the Captain was the last to leave his stricken ship, the Chelyuskin sank. He recorded the dramatic moments:

> The first pressures of the fatal ice-jamming had started at 1 o'clock in the afternoon and at 3.30 p.m., 13 February 1934, with a swift movement forward and simultaneous plunging of the bow, the *Chelyuskin* disappeared under the water at the observed latitude of 68°18' N and longitude 172° 50.9'W.

Гибель доблестного корабля

Через несколько секунд после того, как капитан последним покинул свой корабль, «Челюскин» затонул. Вот как описал этот драматический момент В.И. Воронин:

> Первые роковые толчки начались в 1:00 и в 3:30 дня;13 февраля 1934 года, резко подавшись вперед и одновременно накренившись носом, «Челюскин» скрылся под водой на 68° 18' сев. широты и 172° 50.9' зап. долготы.

The cameraman Arkady Shafran vividly illustrated the final hours of the Chelyuskin *as she was finally engulfed by the pack-ice. Once the ice pressure began, the ship sank in less than three hours.*

Кинооператор Аркадий Шафран ярко запечатлел последние часы «Челюскина», когда его раздавили и поглотили льды. С момента начала давления до затопления прошло менее трех часов.

The Force of Nature

Slow Death by Ice

Throughout maritime history, many disasters have occurred to ships large and small. They have resulted from hurricane-level weather, foundering on rocky and even sandy shores, hitting ice-bergs (such as with the *Titanic*), sinking by enemy action (such as the *Lusitania*), and being abandoned as with many an Arctic or Antarctic expedition. But the cases of a ship being methodically crushed by natural forces have been rare, and the *Chelyuskin's* fate may have been unique in shipping history.

The expanse of packed ice seemed to have played with the doomed ship almost as a cat will play with a mouse. On 1 December 1933, during a period of strong southeast winds, a crack in the ice that had held the *Chelyuskin* in its grip developed into a wide lane, and the crew were given a false hope. The transhipment of coal was stopped, and stores of food and equipment, unloaded on 26 November, were reloaded. The engines were restarted and the ship moved slowly along a lane of water. But this respite was short-lived. After two days, the ice closed in again, and Captain Voronin had to hove to after progressing only two miles.

Until 7 January 1934—a whole month—there was some hope that, if conditions did not get worse, the *Chelyuskin* might survive. But after a lull, conditions did get worse. Young ice quickly formed in areas of exposed water, and began to pack. On 4 January, a second crack appeared behind the stern, and with the pressure, formed a wall of ice. On 8 January, the big crack parallel to the ship opened and closed, but did no serious harm. But there were ominous signs of impending catastrophe.

On 12 February the wind force increased, from the north-north-east, then grew stronger, to about 60 knots, and from the north. This created a slow drift, but by the next morning, the ice to the north of the ship began to pack into a pressure ridge about 70 feet high. This began to advance on to the port side of the ship, while the ice on the starboard side remained motionless.

While lacking in the exact detail of the Chelyuskin's *superstructure, artist Reshetnikov's on-the-spot painting of the ship's last moments capture the drama of the occasion, including the portrayal of the last men to leave, Captain Voronin and Expedition Leader Otto Schmidt.*

Этот рисунок с натуры художника Решетникова не дает представления о техничеких деталях конструкции корабля, зато на нем запечатлены последние минуты драмы, когда капитан В.И. Воронин и глава экспедиции О.Ю. Шмидт последними покидали корабль.

Медленная смерть во льдах

В истории мореплавания описано много трагических судеб кораблей, больших и малых. Корабли гибли из-за плохой погоды, скал, мелей, столкновения с айсбергами («*Титаник*»), боевых действий неприятеля («*Люцитания*»), многие арктические и антарктические экспедиции заканчивались эвакуацией экипажа. Однако то, что произошло с «Челюскиным», когда он был методически раздавлен страшной природной силой, уникальный случай.

Казалось, что массив дрейфующего льда играет с пойманным кораблем, как кот с мышью. 1 декабря 1933 года во время сильного юго-восточного ветра трещина во льду, в котором застрял «Челюскин», расширилась и дала команде ложную надежду. Переноска угля была прекращена, запасы пищи и снаряжения, выгруженные 26 ноября, были снова подняты на борт. Двигатели были снова запущены, и корабль медленно двинулся вдоль линии воды. Но надежда быстро угасла. Два

дня спустя лед снова закрылся, и Воронин вынужден был встать, не продвинувшись и на две мили.

До 7 января 1934 - целый месяц - все еще оставалась надежда, что если ситуация не ухудшится, «Челюскин» выживет. Но ситуация все-таки ухудшилась. Молодой лед начал быстро закрывать поверхность воды и образовывать торосы. 4 января за кормой появилась вторая трещина и под давлением образовалась стена льда. 8 января вдоль борта открылась и закрылась большая трещина, не принесшая, правда, серьезного ущерба. По всем признакам они находились в преддверии близкой катастрофы.

12 февраля усилился ветер с северо-северо-запада, затем скорость ветра достигла 60 узлов, и он задул с севера. Это вызвало медленный дрейф, но уже на следующее утро лед к северу от корабля начал спрессовываться в торос высотой примерно 70 футов. Он начал давить на левый борт корабля, в то время как лед с правого борта оставался неподвижным.

No Escape

The final minutes of the *Chelyuskin's* losing fight with Nature are best described by geodesist Yakov Gakkel, whose words well capture the capture the drama of the tragic event.

At first the ship gave back too, her starboard plates sliding over the motionless ice, with her stern raising the ice which been badly crushed on her in former packings. All on the port side the ice was squeezed out, while on the starboard side the ice was ground under.

By recoiling, the ship lessened the pressure of the ice, and so was able to resist the oncoming pressure. But as soon as the bows, some ten minutes later, were up against solid ice, she crushed in a second. Under the pressure of the ice on the vessel under the water-line, the port plates could not stand the tension, and she burst open above the water-line over more than 30 metres (about 100 feet). The long rent followed the joints of the plates, and tore out the rivets. In places the plates themselves were torn. Then the port bows were stove in under the water-line as well, and the second hold was torn open, then the bunkers and the boiler and engine-rooms. Water and fragments of ice began rapidly to fill her.

At half-past two, when the broken *Chelyuskin* was already settling down, the ice pressure was renewed, and this enlarged the holes she already had, and tore open at the third hold. Their work done, the floes stopped. The holes covered 45 metres (about 150 feet) of her length on the port side. She now began to sink rapidly. Still gripped by the floes, she went down in jerks, At last, at four in the afternoon, thrusting her stern high into the air, the *Chelyuskin* went to the bottom.

Последние минуты проигранной «*Челюскиным*» битвы с природой наилучшим образом описаны геодезистом Яковом Гаккелем. Его слова хорошо отражают драматизм трагического события.

Сначала корабль сдал назад, скользя правым бортом по неподвижному льду, вздыбливая лед кормой, которая была сильно повреждена торосами. С левого борта лед выпирало наверх, а с правого борта лед наоборот подминался судном.

Сдав назад, корабль смягчил напор льда и оказывал сопротивление неудержимому натиску. Но как только минут десять спустя корма уперлась в твердый лед, судно было мгновенно смято. Под давлением льда на корпус ниже ватерлинии обшивка левого борта не выдержала и лопнула выше ватерлинии на участке длиной более 30 метров. Вдоль соединения листов обшивки образовалась длинная брешь, заклепки вылетели. В некоторых местах сама обшивка тоже была пробита. Затем пробило носовую часть левого борта ниже ватерлинии, вскрылись второй трюм, затем бункеры с углем, котельное и машинное отделения. Вода и обломки льда стали быстро заполнять корабль.

В половине третьего, когда исковерканный «*Челюскин*» уже начал погружаться вниз, наступило новое сжатие, увеличившее уже имеющиеся пробоины и разорвало борт третьего трюма. Сделав свое дело, льдины отступили. Общая длина пробоины составляла 45 м по левому борту. Корабль начал быстро тонуть. Все еще стиснутый льдом он погружался вниз рывками. Наконец в четыре часа дня, высоко задрав корму, «*Челюскин*» пошел ко дну.

Выхода нет

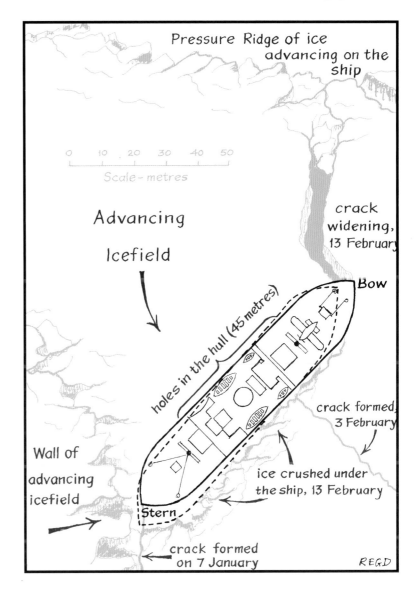

This self-explanatory drawing is based on an illustration in the commemorative book published in Moscow in 1934. (Courtesy: Vassily Karpy)

Этот не требующий комментариев рисунок сделан на основе иллюстрации в книге памяти «Челюскина», опубликованной в Москве в 1934 году (илл. любезно предоставлена Василием Карпым).

Setting Up Camp

Pitching Tents

Thus, 104 persons, including womern and children, were stranded on the drifting ice-floes, which any minute could have taken a new and even more fatal offensive. Voronin wrote: "The people have dispersed about the ice floe, examining it and choosing a spot to settle down. First of all a tent for Schmidt had been set up. The carpenters are carrying thick felt and boards there. And then one after another, new tents appeared like mushrooms after the rain." The log-book entries dated 13-15 February stated:

At the most critical moment the people started pitching tents on the ice. In the evening everybody received warm clothes and sleeping bags. The victuals were stocked together in one place. The radio was set up and we managed to geet in touch with Uelen.

Stores from Wrangel Island

There was an unexpected contribution to the welfare of the ship-wrecked Chelyuskinians. One of the objectives of the voyage was to relieve the personnel on Wrangel Island. In addition to the people, substantial supplies were on board for their welfare, especially timber and other equipment to build huts and installations. These supplies were now put to good use. The log-book continued:

On 14 February, only a day after the sinking, carpenters started to build a large wooden barracks, using salvaged timber. Some of this had been unshipped, but most of it had come to the surface at the area of the sinking. Some lifeboats and several fuel drums had come to the surface too. When the navigation equipment was being sorted out, Volume 6 of the log-book, with the last entry, made at 12 noon on 13 February, was found to be missing.

Yesterday and today, everybody is busy catching the timber and fuel drums that keep coming to the surface; the carpenters are building the dwelling barracks. The location, observed at midnight from 14-15 February, was 68° 18' latitude, 172° 50'W longitude.

Krenkel Makes Contact

Urgent measures were taken to establish radio communication that had been broken off. However, the aerial, which had been set up the night before, proved to be too short and that is why they failed to get in touch with the coastal radio stations. But in the morning of 14 February, the aerial was lengthened and their first telegrams were finally received on the coast. The telegram sent to Moscow and addressed to V.V. Kuibyshev, said:

Arctic Sea. February 14. On 13 February, at 15.30, 155 miles away from Cape Severniy (North Cape) and 144 miles from Cape Uelen, the *Chelyuskin* sank, crushed by ice-jamming.

In the telegram to Uelen, addressed to N.N. Khvorostiansky, the polar station chief there, O.J. Schmidt wrote:

In short, 100 people are on the ice floe. This is the scale of the life-saving operation in store for you. I deeply appreciate your readiness to organize immediate help.

Лагерь на льдине

Вчера и сегодня все заняты вылавливанием леса и бочек с горючим, которые продолжают всплывать на поверхность. Наши координаты, определенные в полночь с 14 на 15 февраля, - 68° 18' широты и 172° 50' западной долготы.

Установка палаток

Итак, 104 человека, включая женщин и детей, остались на дрейфующей льдине, от которой в любую минуту можно было ждать каких угодно неприятностей. В.И. Воронин писал: «Люди разбрелись по льдине, осматривая ее и выбирая место для стоянки. В первую очередь поставили палатку для О.Ю. Шмидта. Плотники принесли толстый войлок и расстелили его внутри. Затем одна за другой, как грибы после дождя, стали появляться другие палатки». Из записи в бортовом журнале 13-15 февраля:

В самый критический момент люди начали ставить на льду палатки. Вечером все получили теплую одежду и спальные мешки. Все продукты собрали вместе. Было установлено радио, и нам удалось связаться с Уэленом.

Припасы для острова Врангеля

Они были неожиданным дополнением к припасам потерпевших кораблекрушение челюскинцев. Одной из целей плавания было снабжение острова Врангеля. Кроме людей на борту было много товаров для жизнеобеспечения, леса и других строительных материалов. Теперь этим припасам нашлось хорошее применение. Из записей в бортовом журнале:

14 февраля уже через день после крушения плотники начали строить большой деревянный барак, используя спасенные материалы. Некоторая часть леса была выгружена с корабля, но большая его часть всплыла на поверхность возле места затопления. Всплыли также несколько спасательных шлюпок и бочек с горючим. При разборке навигационного оборудования 6-ой том бортового журнала, последняя запись в котором была сделана в полдень 13 февраля, оказался утерян.

Кренкель устанавливает контакт

Были приняты срочные меры по восстановлению прерванной радиосвязи. Однако установленная ночью антенна оказалось слишком короткой, и им не удавалось связаться с береговыми радиостанциями. Утром 14 февраля ее удлиннили, и материк, наконец, получил от них первую телеграмму. В отправленной в Москву на имя В. В. Куйбышева телеграмме говорилось:

Северный Ледовитый океан 14 февраля. 13 февраля в 15:30 в 155 милях от мыса Северный и в 144 милях от мыса Уэлен «*Челюскин*» затонул раздавленный льдами.

В телеграмме на Уэлен, адресованной начальнику местной полярной станции Н. Н. Хворостянскому, О.Ю. Шмидт писал:

Коротко: 100 человек на льдине. Таковы масштабы вашей будущей спасательной операции. Я высоко ценю вашу готовность предоставить немедленную помощь.

Salvage

Спасательные работы

In the first two weeks, all the Chelyuskinians took part in the emergency work of making an ice-camp, building barracks and depots, pitching tents, and fishing important equipment out of the water. Heaps of materials, timber, fuel drums, and victuals all looked like black stains against the dazzling white snow. But gradually the camp started to live a full-blooded life.

В первые две недели все челюскинцы принимали участие в аварийно-спасательных работах по созданию ледяного лагеря, строили барак и склады, разбивали палатки, вылавливали из воды ценное снаряжение. Груды материалов, леса, бочек с горючим и провиант выглядели черными пятнами на ослепительно белом снегу. Но постепенно лагерь зажил полнокровной жизнью.

Settling In   Обустройство

Thanks to the fortuitous bonus of materials intended for Wrangel Island, the ice-camp was soon operational. Apart from essential life-supporting activity, cultural, educational, and social activities were soon under way. On 18 February, the first meeting of the "Northeastern Expedition" chapter of the communist party was held, and the day-to-day activities of the 104 survivors of the *Chelyuskin* were organized.

Quite soon, a camp wall-newspaper appeared, under the title "We will not Surrender!" (see page 47) and this played the role of a stimulant to constructive undertakings. The entire company showed considerable inventiveness, initiative, and spontaneous amateur talent in easing the hardship of their austere conditions.

Благодаря наличию строительных материалов, предназначенных для острова Врангеля, лагерь был построен очень быстро. Вместе с работой по жизнеобеспечению началась культурная, образовательная и общественная деятельность. 18 февраля было проведено первое собрание членов компартии «Северо-восточной экспедиции». Жизнь 104 уцелевших членов экспедиции «Челюскина» вошла в свою колею.

Довольно скоро стала выходить стенная газета лагеря под названием «Мы не сдадимся!» (см. стр. 47), что сыграло свою роль в поддержании боевого духа. В целом, коллектив показал удивительную изобретательность, инициативу и неожиданные таланты, облегчившие жизнь в тех суровых условиях.

The scene of desolation on the first day on the ice. But work is already under way to construct the "barrack house" with wood that was originally intended for Wrangel Island.

Безрадостная сцена первого дня на льдине. Однако уже были начаты работы по возведению барака из материалов, которые предназначались для острова Врангеля.

Much improvisation was evident in the ice-camp. The tents were augmented by wooden frameworks, even a front door.

Строители лагеря проявили творческий подход. Палатки держались на деревянных рамах и даже имели настоящие двери..

A considerable amount of provisions were saved from the ship. This picture shows some of the Chelyuskinians lining up at the general store.

С корабля было спасено значительное количество продовольствия. На этой фотографии несколько челюскинцев стоят в очереди у продуктового склада.

Accommodation

Жилищные условия

The Chelyuskinians set to work and, following the example of the indigenous peoples of the Arctic regions, made use of the abundant snow to reinforce their improvised shelters, constructed from the materials intended for Wrangel Island.

Челюскинцы взялись за работу и, следуя примеру аборигенов арктического региона, использовали имеющийся в изобили снег для укрепления своих импровизированных жилищ, которые были построены из материалов для острова Врангеля.

These pictures well illustrate the conditions in the ice-camp. As previously mentioned, the Chelyuskinians were not castaways in the sense that they were not equipped for the ordeal. Whilst the shipwreck had been slow to reach its dramatic conclusion, there had been time to unload a considerable quantity of food, building materials, and other essentials for survival. In short, the situation was one of austerity but not of desperation.

Эти фотографии хорошо иллюстрируют условия жизни ледового лагеря. Как уже было упомянуто, челюскинцы не были потерпевшими кораблекрушение в полном смысле этого слова, так как были хорошо оснащены. Во время медленной гибели корабля у них было время для выгрузки достаточного количества пищи, строительных материалов и другого снаряжения, необходимого для жизни. Вкратце, ситуация была суровая, но не безнадежная,

The Chelyuskin Expedition fortunately included several tradesmen and specialists. The carpenters especially were promptly put to work on the ice station, and are seen here erecting the barracks.

Среди членов экипажа «Челюскина», к счастью, были мастера-плотники, которые сразу же взялись за работу на ледовой станции. Здесь мы видим их за возведением барака.

This is a picture of the barracks, before the "attack" by the pack-ice on 8-9 April, when the Chelyuskin finally lost its battle with the Arctic Ocean.

Фотография барака 8-9 апреля, до того, как «Челюскин» окончательно проиграл ледовую «битву» с Северным Ледовитым океаном.

The supply of sheet glass was not among the provisions and supplies salvaged from the sinking ship. But an ingenious solution was found to improvise light through a window by the use of glass jars.

Среди материалов, спасенных с тонущего корабля, не было оконного стекла. Однако было найдено остроумное решение использовать для окон стеклянные банки.

Altogether, a completed construction, making use of the Wrangel Island pre fabrication materials and the locally-supplied snow and ice, comprised a desirable residence—certainly better than tents.

Все-таки, строительные конструкции, созданные из заготовок щитовых домиков, предназначенных для острова Врангель, и укрепленные снегом и льдом, лучше защищали от стихии, чем палатки.

Life in the Camp

Жизнь в лагере

The stranded Chelyuskinians were able to salvage a lifeboat (though it was never used as such) and were able to make sleds, including a baby carriage for Karina and Alla.

Челюскинцы сумели вытащить спасательную шлюпку (хотя они ни разу не использовали ее по прямому назначению), смастерить сани, а также детские саночки для Карины и Аллы.

46

Entertainment

Развлечения

Life in the camp was not "all work and no play." Sports ranged from the indoor variety—chess to the outside—football. Cultural pursuits included reading Pushkin and keeping up to date with local and world news on the wall newspaper.

Жители лагеря не только работали, но и находили время для развлечения. Проводились спортивные соревнования по шахматам и по футболу на снегу. Культурная программа включала чтение Пушкина. В стенной газете освещались местные и мировые события.

Special Efforts

The Work of the Expedition Continues

The 104 survivors of the *Chelyuskin* were not tourists, although some were colonists, on their way to Wrangel Island to relieve the settlers there. Some others were scientists, geologists, and meteorologists. Thus, during the frigid sojourn on the ice, the work continued. Every day, observations were made to determine the exact position of the ever-drifting pack-ice, and good records were kept of the climatic conditions.

Работа экспедиции продолжается

104 челюскинца не были туристами. Некоторые из них были колонистами едущими на смену колонистам острова Врангеля, многие были учеными, геологами и метеорологами. Поэтому во время проживания на льдине работа продолжалась. Каждый день проводились наблюдения по определению точного положения дрейфующей льдины, велись точные записи о климатических условиях.

Особые усилия

Meal Service

Ever resourceful, the Chelyuskinians soon set to work to take care of the Inner Man (and of the women and children). Using oil drums to improvise cooking facilities, and with an ample supply of the oil itself, a field kitchen was quickly put together. The cuisine may not have qualified for a star rating by the Michelin guide, but it meant that the shipwrecked company did not have to survive on iron rations.

Служба питания

Изобретательные челюскинцы решили всерьез позаботиться о собственных желудках. Используя бочки из-под горючего, они соорудили печки и плиты, которые работали на имеющемся в достатке масле, и собрали целую полевую кухню. Качество блюд, возможно, и не соответствовало требованиям лучших европейских ресторанов, но зато поселенцы были всегда сыты.

Special Problems Особые проблемы

On several occasions the camp ice floe cracked, split, and hummocked. The Chelyuskinians seemed to be living on a dormant keg of gunpowder that would explode at any moment. On 6 March the ice moved dangerously, almost like an earthquake, and the whole camp went through some traumatic moments. The main dwelling barracks was ruined when a crack went right across the middle. On 8-9 April, the ice moved dangerously again, breaking the kitchen into small pieces and destroying the barracks completely. The camp's ice flow was reduced to half its original size.

Несколько раз льдина, на которой стоял лагерь, раскалывалась и вновь срасталась с образованием торосов. Казалось, что челюскинцы живут на бочке с порохом, которая в любую минуту может взорваться. 6 марта лед зашевелился, как при землетрясении, и весь лагерь пережил очень неприятные моменты. Главный жилой барак развалился, так как трещина прошла как раз посередине. 8-9 апреля лед снова задвигался, развалив на мелкие кусочки кухню и полностью разрушив барак. Льдина, на которой стоял лагерь, уменьшилась наполовину.

In addition to the hummocks, cracks would appear, sometimes through the camp itself.

Кроме торосов на льду иногда появлялись трещины, проходящие прямо через лагерь.

This scene of the ice-camp, about 400 metres away from the camera, provides some idea of the conditions. The nature of the pack-ice was what its name implies: it packed up into hummocks, sometimes of considerable size. They were a constant source of concern for the Chelyuskinians.

Этот снимок, сделанный с расстояния примерно 400 м , хорошо отражает ледовую обстановку. Здесь хорошо видно, что из себя представляют ледяные торосы, нагромождения льда часто значительного размера, которые были постоянным источником неприятностей для челюскинцев.

Sometimes the cracks in the ice were fearsome. On one occasion, the ice split exactly where the carpenters had built a hut. To prevent a complete loss, they promptly sawed the hut in half.

Иногда трещины во льду были устрашающими. Так, например, однажды трещина прошла именно в том месте, где плотники строили домик. Чтобы избежать полной потери строения, им пришлось быстро распилить домик пополам.

The News Spreads

Moscow is Alerted

On 14 February 1934, the news of the wreck of the *Chelyuskin* reached Moscow. On the same day, the Sovnarcom formed a special State committee directed specifically to organize a rescue program. It was headed by V.V. Kuibychev, and included other leaders of prominence: N.M.Janson (Narcomvod); S.S. Kamenev, Vice-chief of the Navy and the Arctic Committee chairman; I.S. Unschlicht (chief of the Air Fleet Central Office); and S.S.Joffe (assistant chief of the Northern Shipping Route Central Office). This committee would receive help and support from many other organizations.

Москва встревожена

14 февраля 1934 года новость о крушении «Челюскина» достигла Москвы. В тот же день Совнарком создал Чрезвычайную Правительственную комиссию для разработки программы спасательных работ во главе с В. В. Куйбышевым. В нее также входили другие известные руководители: Н. М. Янсон (Наркомвод), С. С. Каменев, заместитель председателя Комитета по ВМФ и Арктике, И. С. Уншлихт (начальник управления ВВС) и С. С. Йоффе (заместитель начальника ГУСМП). Эта комиссия получит помощь и поддержку от многих других организаций.

Volunteers

The Chelyuskinians plight became a nation-wide concern as well as an official state responsibility. Letters and telegrams addressed to the government committee, as well as to newspapers and to Soviet party organizations, streamed in. Everyone wished for the quickest rescue possible. Ingenious, if impracticable, suggestions came in from far and wide.

Добровольцы

Положение челюскинцев становилось национальной проблемой, а также задачей ответственности правительства. Письма и телеграммы в адрес правительственной комиссии, газет и партийных организаций шли сплошным потоком. Все желали скорейшего возвращения путешественников. Оригинальные и даже фантастические предложения поступали со всех сторон.

Suggestions

Some suggestions were fanciful but some were sensible and worth studying. From Elizarov, in Moscow: "I deal with metal work. You can employ me as an unskilled worker in a rescue expedition." Protoprotov, a student at the Moscow Geological Secondary Technical School, wrote: "I have never been to the Arctic, but I am quite advanced in skiing. I spend winters on skis and believe I am physically fit to live in extreme conditions. I am ready to do my best to rescue the Chelyuskinians." A man from Vyksa township suggested: "a submarine is the most reliable way to rescue. It should submerge near Uelen and head for Schmidt's camp, where an ice hole should be prepared, for the submarine to surface."

Boris Shishlianov, at the Stalingrad tractor works, suggested that airplanes should be provided with special balloon-shaped pontoons, so that the engines should not be damaged when landing on the rugged ice. Others suggested a catapult launcher for the airplane, dropping canoes from airplanes, and dropping steel ropes equipped with grapnels. One soldier thought an amphibian tank would solve the problem.

Предложения

Среди потока предложений от граждан были наивные идеи, а были и серьезные заслуживающие внимания решения. Приведем несколько примеров: письмо от Елизарова, Москва: «Я работаю с металлом. Вы можете взять меня подсобным рабочим в спасательную экспедицию». Письмо от Протопопова, студента Московского геологического училища: «Я никогда не был в Арктике, но я отлично хожу на лыжах. Я провожу зиму на лыжах и считаю, что физически приспособлен для экстремальных условий. Готов сделать все возможное для поиска челюскинцев». Житель города Выксы написал: «Наиболее реальный путь спасения - это с помощью подводной лодки. Она должна погрузиться возле Уэлена и следовать к лагерю Шмидта, где необходимо пробить дыру во льду для всплытия подлодки».

Борис Шишлианов со Сталинградского тракторного завода советовал использовать самолеты со специальными надувными понтонами, которые предотвратили бы поломку двигателя при посадке на неровный лед. Были предложения использовать катапульты для запуска самолетов, сбрасывать с самолетов лодки, стальные тросы, снабженные захватами. Один военный предлагал решить проблему при помощи танка-амфибии.

Foreign Commentary

News of the wreck spread throughout the world. Newspapers and politicians of different persuasions discussed the problem. Many words of compassion were expressed, but the prevailing reaction in western Europe was one of pessimism and scepticism. The German *Fokstimme* newspaper wrote: "It seems that a new Arctic tragedy is imminent. In spite of the invention of radio, aeroplanes, and other achievements of human civilization, at present no one can help the hundred people during the Arctic night. If Nature itself does not come to the rescue, they are doomed."

The German newspaper *Berliner Tagelblat* followed suit: "Death is still playing games with 85 (sic) people, drifting so far away. They might have enough food to survive, but how long will they stay alive?" Some reports were sure that Schmidt's expedition was doomed. The Danish newspaper *Politiken* even carried an obituary: "on the ice floe, Otto Schmidt has faced an enemy he could not defeat. He died as a hero, whose name will always live among the Arctic Sea explorers." At least the last phrase was to come true.

Зарубежные комментарии

Новости быстро распространились по всему свету. Газеты и политики разных толков обсуждали эту проблему. Было выражено много слов сочувствия, но все же основной реакцией Западной Европы был пессимизм и скептицизм. Немецкая газета «Фокстимме» писала: «Кажется, что неизбежна новая арктическая трагедия. Несмотря на изобретение радио, самолетов и других достижений человеческой цивилизации, сейчас никто не может помочь сотне несчастных в эту полярную ночь. Если сама Природа не придет им на помощь, они обречены».

Немецкая газета «Берлинер Тагелблат» подхватила: «Смерть решила еще немного поиграть с 85 человеками, дрейфующим далеко на Севере. Возможно, у них пока есть достаточно провианта, но как долго они смогут продержаться в живых?». Некоторые были уверены, что экспедиция О.Ю. Шмидта обречена. Датская газета «Политикен» даже приготовила некролог: «Отто Шмидт столкнулся с враждебной природой на плавучей льдине и не смог одержать победу. Он погиб как герой, чье имя будет вечно жить среди исследователей Арктики». По крайней мере, часть последней фразы оказалась правдой.

Rescue Plans

Kuibychev Acts

The rescue plan did not take shape immediately. The first step was to form an Emergency Board of Three, headed by G.G. Petrov (a Polar Station chief) on Cape Severniy, on the northern coast of Chukotka. Relying on local resources, Kuibychev sent the following telegram to the Board:

I order Petrov and Khvorostiansky (chief of the Uelen Station, in the Emergency Board of Three, he acted as a sledge rescue expedition chief) to cable me immediately about the state of affairs with the *Chelyuskin* passengers. What measures have already been taken? How many deer and dogs have been mobilized? When and how are they supposed to be used? What aeroplanes are planned to be sent there and when? Is the landing ground near Schmidt's camp ready? Inform me urgently of all Schmidt's suggestions and orders, and how they are to be carried out. Let me know what help is required from the government committee.

Куйбышев действует

На разработку плана спасения требовалось время. Первым шагом стало формирование Чрезвычайной Тройки, возглавляемой Г. Г. Петровым, начальником полярной станции на мысе Северный на северном побережье Чукотки. Полагаясь на местные ресурсы, В.В. Куйбышев послал Совету следующую телеграмму:

Приказываю Петрову и Хворостянскому (начальнику полярной станции на Уэлене, члену Чрезвычайной Тройки, который руководил санной поисковой экспедицией) немедленно докладывать мне о состоянии дел с пассажирами «Челюскина». Какие меры приняты? Сколько имеется оленей и собак? Когда и как предполагается их использовать? Какие самолеты планируется послать на помощь и когда? Готова ли посадочная площадка на льду рядом с лагерем Шмидта? Немедленно информируйте меня о всех предложениях и указаниях Шмидта, а также о том, как они выполняются. Дайте мне знать, какая помощь требуется со стороны правительственного Комитета.

On Dog Sleds

By 15 February, a dog-sled rescue expedition, headed by Khvorostiansky, had already been sent, heading for Cape Serdtse-Kamen (Heart of Stone) and then, after a short rest, to try to reach Schmidt's camp across the ice, and first to evacuate the women, children, and the sick. Some in the camp even wanted to try to walk to the shore across the ice but Schmidt was firmly opposed to that idea. And soon even the dog-sled solution was seen to be impossible. (see illustrations on page 49).

Meanwhile, the planned flight to the ice camp by an ANT-4 airplane, piloted by Anatoli Lyapidevsky, already based on the southern Chukotka coast, had to be postponed several times because of heavy snow and blizzards (see page 58).

На собачьих упряжках

15 февраля спасательная экспедиция на собачьих упряжках, возглавляемая Хворостянским, была выслана в направлении мыса Сердце-Камень. Затем после короткого отдыха планировалось начать поиск лагеря Шмидта во льдах, чтобы сначала эвакуировать больных, женщин и детей. Были попытки пройти из лагеря к берегу через льды, но О. Ю. Шмидт был категорически против этого. Вскоре идея использования собачьих упряжек была отвергнута. (см. иллюстрации на стр. 49).

Тем временем, запланированный полет к ледовому лагерю на самолете «АНТ-4», пилотируемом Анатолием Ляпидевским, который уже находился на южном побережье Чукотки, несколько раз откладывался из-за сильных снегопадов и метелей (см. стр. 58).

No Ice-Breakers

There were no ice-breakers in the Far East at the time, except the *Litke*, which required serious repairs. All the other ice-breakers, the *Krasin*, *Eermak*, and *Lenin*, were in western Soviet ports, thousands of weeks away from the Schmidt camp.

Нет ледоколов

В тот момент на Дальнем Востоке не было ледоколов, за исключением «Литке», который требовал серьезного ремонта. Все остальные ледоколы: «Красин», «Ермак» и «Ленин», стояли в западных советских портах, в тысячах километров от лагеря Шмидта.

Call for Airplanes

The government committee made the vital decision to evacuate the Chelyuskinians with the help of aviation. The relief organization could benefit from the experience that many Soviet pilots had built up while working in polar conditions, especially that of Mikhail Baboushkin and Vassily Molokov.

On 10 February, three days before the *Chelyuskin* sank, Schmidt decided to prepare extra air strips. A group of skiers found suitable sites and cleared them of snow.

Вызов самолетов

Правительственная комиссия приняла стратегическое решение эвакуировать челюскинцев при помощи самолетов. Помогало делу то обстоятельство, что многие советские пилоты имели большой опыт полетов в условиях полярного севера, особенно опытным был Михаил Бабушкин и Василий Молоков.

Планы спасения

10 февраля за три дня до крушения «Челюскина» Шмидт решил приготовить аварийную взлетно-посадочную полосу. Группа лыжников нашла подходящее место и очистила его от снега.

Send the Krasin!

As a precautionary measure, the government committee decided to send the Krasin ice-breaker to Chukotka. It was still being repaired in Leningrad, after its difficulties in the Kara Sea (see pages 24-25). Kuibychev ordered the repairs of both the *Krasin* and the *Ermak* to be speeded up. "I beg you to get acquainted with the state of affairs to ensure urgent completion of the *Krasin*'s repairs, bearing in mind that the Arctic heroes' rescue may depend on it."

The Kronstadt and Baltic yard ship-builders completed the ice-breaker's repairs ahead of time, and on 23 March, the *Krasin* left port. Captained by P.A.Ponomarev, and with expedition chief P.I. Smirnov and chief assistant N.I.Yevghenov, it headed for the Chukchi Sea westward, through the Panama Canal.

Высылайте «Красин»!

В качестве меры предосторожности правительственная комиссия решила послать ледокол «Красин» на Чукотку. Он все еще ремонтировался в Ленинграде после похода по Карскому морю (см. стр. 24-25). В. В. Куйбышев распорядился об ускорении ремонта «Красина» и «Ермака». «В связи с создавшимся положением очень прошу вас обеспечить скорейшее завершение ремонта «Красина», принимая во внимание тот факт, что от этого может зависеть спасение героев Арктики».

Кронштадтская и Балтийская верфи закончили ремонт ледокола досрочно, и 23 марта «Красин» вышел в море. Под командованием капитана П. А. Пономарева, с начальником экспедиции П. И. Смирновым и его помощником Н. И. Евгеновым на борту он направился на запад через Панамский канал в Чукотское море.

Airmen to the Rescue
Летчики отправляются на поиски

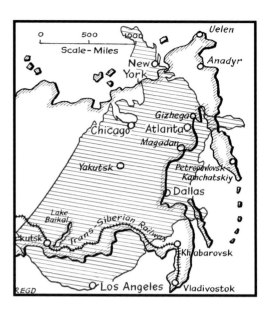

Aerial Expedition

The aviation rescue expedition plan was initiated in February, and the 51-strong complement of 21 pilots, 27 air-mechanics, and three navigators, had been assembled. The number and types of aircraft were agreed upon, and the routes to Chukotka charted. Eighteen aircraft were to be sent, including the twin-engined ANT-4, the Moscow-built Junkers-F 13, and the reliable R-5. Among the pilots were the country's most experienced: V.S. Molokov, V.L. Galyshev, M.V. Vodopianov, N.P. Kamanin, M.T. Slepnev, I.V. Doronin, and S.A. Levanevsky.

Also, an airship detachment, with Birnbaum as commander and V.P. Padalko as navigator, started out from Moscow, via Khabarovsk to Vladivostok. It would then proceed to Chukotka on board the *Soviet* steamship.

Воздушная экспедиция

План авиационной поисково-спасательной экспедиции был составлен в феврале. В ее составе был 51 человек: 21 пилот, 27 авиамехаников и три штурмана. Количество и тип самолетов, маршрут до Чукотки,- все было оговорено и расписано. Планировалось послать восемнадцать самолетов, включая двухмоторный «АНТ-4», «Юнкерс Ф13» и испытанный «Р-5».Среди пилотов были самые известные в стране летчики: В. С. Молоков, В. И. Галышев, М. В. Водопьянов, Н. П. Каманин, М. Т. Слепнев, И. Н. Доронин и С. А. Леваневский.

Кроме этого выслали воздушное подразделение во главе с командиром Бирнбаумом и штурманом В. П. Падалко, которые вышли из Москвы через Хабаровск во Владивосток, а затем должны были проследовать до Чукотки на борту парохода «Совет».

The First Unit

The biggest aircraft unit, equipped with R-5 biplanes, was headed by N.P. Kamanin, and included pilots B.A. Pivenstein, B.V. Bastanzhiev, I.M. Demirov, and V.S. Molokov. Arriving at Vladivostok via the Trans-Siberian Railway (Molokov had been at Igarka, on the Yenesei River) they embarked, with their aircraft, on the *Smolensk* steamship, headed for Providenya bay (see Page 56).

Первое звено

Самое большое звено самолетов состоящее из бипланов Р-5 возглавлял Н. П. Каманин, в него также входили летчики Б. А. Пивенштейн, Б. В. Бастанжиев, И. М. Демиров и В. С. Молоков. Прибыв во Владивосток по Транссибирской магистрали (Молоков был в Игарке, на Енисее) они вместе со своими самолетами погрузились на пароход «Смоленск», который следовал до бухты Провидения (см. стр. 56).

The Second Unit

The second aircraft unit included V.L. Galyshev, I.V. Doronin and M.V. Vodopianov. Equipped with Junkers-F 13s, mobilized from the Irkutsk-Yakutsk Dobrolet air route and R-5, they were assigned to fly from Khabarovsk to Chukotka, along the coast of the Sea of Okhotsk, a total distance of 5,850 kilometres (3,627 miles) in the depth of winter. No one had ever flown in this region before in the the winter time, although Vodopianov had pioneered the Dobrolet route to Sakhalin. They started off from Khabarovsk on 17 March (see page 60).

Второе звено

Во втором звене самолетов были В. И. Галышев, И. Н. Доронин и М. В. Водопьянов. На самолете «Юнкерс Ф13», снятом с воздушного маршрута «Добролет» Иркутск-Якутск, и Р-5 они должны были лететь из Хабаровска на Чукотку вдоль побережья Охотского моря, проделав путь длиной 5850 км, глубокой зимой. Никто до этого не летал в этом районе в зимнее время, хотя М. В. Водопьянов был первым, кто пролетел маршрутом «Добролета» на Сахалин. Они стартовали из Хабаровска 17 марта (см. стр. 60).

The Third Unit

The third unit included pilots S.A. Levanevsky, M.T. Slepnev, and a government committee representative, the experienced Arctic explorer, G.A. Ushakov. So as to cover every eventuality, this unit travelled westward, by plane to Berlin, then by train and ferry to England and by ocean liner to New York. They crossed North America and arrived at Fairbanks, Alaska, where, through the Soviet trading organization, AMTORG, they acquired two Consolidated Fleetster passenger airplanes. On 25 March, the pilots took off, along with Ushakov and two American mechanics, arriving at Nome, the nearest airfield to Chukotka, on 28 March (see page 62).

Третье звено

В третье звено входили пилоты С. А. Леваневский, М. Т. Слепнев и представитель правительственной комиссии опытный полярник Г. А. Ушаков. Чтобы исключить все случайности, это звено отправилось на запад самолетом до Берлина, затем поездом и паромом в Англию и океанским лайнером до Нью-Йорка. Они пересекли Северную Америку и прибыли в Фэрбанкс на Аляске, где через Советскую торговую организацию АМТОРГ закупили два пассажирских самолета компании «Консолидейтид Флейтстер». 25 марта пилоты, Г. А. Ушаков и два американских механика поднялись в воздух и 28 марта прибыли в Ном – ближайший к Чукотке аэродром (см.стр.62).

Formidable Challenge

The map above illustrates the magnitude of the task that faced the select band of aviators who set out to rescue the shipwrecked *Chelyuskin* expedition. Beyond the extent of the Trans-Siberian Railway, the distance to the Chukotka region, the nearest land to the ice camp, is more than 3,600 miles. A circuitous route was, in 1933, made necessary by the terrain and the almost complete absence of much habitation, much less any modern aviation installations. Furthermore, this was winter-time, and in the northeastern extremities of furthest Siberia, Nature is unforgiving of the slightest neglect. Even in a straight line, a flight would be the equivalent of coast-to-coast in the 48 States—except that the winter conditions are like those of Greenland, often with blizzards and temperatures that freeze water as it is poured.

Серьезный вызов

Приведенная выше карта показывает какую трудную задачу приходилось выполнять группе летчиков, отправившихся на спасение челюскинцев. Расстояние от Транссибирской магистрали до Чукотки, ближайшей к ледовому лагерю земли, составляло 3600 миль. В 1933 году извилистый маршрут проходил по территории, где почти отсутствовало жилье, не говоря уже о современных авиационных сооружениях. Более того, это была зима и самая северо-восточная оконечность самой северной части Сибири, где природа не прощает даже малейших промахов. Даже по прямой линии расстояние было сравнимо с перелетом через всю территорию США от восточного до западного побережья. Погодные условия были подобны Гренландии с частыми снежными бурями и температурами, при которых вода замерзает при наливании.

The Ice Camp Prepares

Ледовый лагерь готовится

Smoke Apparatus

The ice campers were aware of the problems that the airmen would face in locating them, 75 miles off-shore from the Chukotka mainland. Fortunately, they had been able to salvage a substantial supply of oil from the *Chelyuskin* before it sank, and, as the pictures on this page show, they were able to erect a serviceable beacon, to be used when the time came, to signal to the pilots who would be searching across the featureless ice fields for the location of the Schmidt camp.

Дымовой аппарат

Челюскинцы понимали, что летчикам будет трудно обнаружить их лагерь на расстоянии 75 миль от побережья Чукотки. К счастью, у них было достаточно масла, спасенного с корабля, для того, чтобы сделать настоящий маяк, как видно на фотографиях. Они собирались зажечь маяк тогда, когда придет время просигналить о своем местонахождении самолетам, которые прилетят искать их лагерь среди безбрежных ледяных просторов.

Airstrips

Throughout the sojourn on the Arctic ice, the campers could never rest. The pack-ice was never still. It was constantly moving, in unpredictable fashion, and in unpredictable ways. Seldom was the surface smooth over even a small area, and work parties were endlessly clearing and levelling the hummocks that would often appear overnight.

The need for such efforts became critical when it was realized that special attention must be given, not only to clear the ice field of obstructions, but the landing strips muct be straight, smooth, and level. Such was the uncooperative mood of Mother Nature at Camp Schmidt that the Chelyuskinians had to fashion no less than seventeen airstrips, in preparation for the ultimately successful rescue by the teams of aviators.

Аэродром

Во время пребывания на арктическом льду жители лагеря практически не отдыхали. Дрейфующий лед был в постоянном движении в непредсказуемых направлениях и непредсказуемым образом и не останавливался ни на минуту. Практически невозможно было найти даже небольшие участки ровной поверхности. Поэтому рабочие партии должны были все время чистить и выравнивать торосы, которые образовывались за ночь.

Необходимость этих усилий стала особенно острой, когда выяснилось, что главное - не только очистить летное поле от препятствий, но и сделать летную полосу прямой, гладкой и ровной. «Матушка Природа» была настолько не в духе, что бедным челюскинцам пришлось расчистить семнадцать посадочных полос, прежде чем их благополучно сняли с льдины спасательные команды авиаторов.

(Left) This picture emphasizes the effect of pressures of the pack-ice. Because of these conditions, always changing, the Chelyuskinians had to build seventeen separate airstrips.

(Слева) На этом снимке виден эффект торошения льда. В этих условиях челюскинцы были вынуждены расчистить семнадцать отдельных взлетно-посадочных полос.

(Right) Fortunately, the ice-campers had been able to salvage, among all the provisions and equipment, sufficient fuel to be able to send out smoke signals to guide the aircraft to the camp.

(Справа) К счастью, жители ледового лагеря смогли почти полностью спасти не только провиант и снаряжение, но и топливо и посылать дымовые сигналы самолетам-спасателям.

This scene of the camp emphasizes the desolation and the conditions of the pack-ice, and the difficulty of preparing landing strips.

Фотография лагеря. Снимок дает представление о трудностях подготовки взлетно-посадочной полосы.

Rescue Frustrations
Неудачи поиска

Lyapidevsky Reaches Uelen

One aviator was already close by. Anatoli Lyapidevsky was stationed at Anadyr, with two ANT-4 aircraft. He tried to reach Uelen as early as 20 December—several weeks before the *Chelyuskin* went down—but, running out of compressed air, he could not start the engines. The temperature was minus 34° Celsius. He had to return to Providenya by dog-sled, a laborious experience lasting almost a month and having to rest in the Chukchi *yarangas*, along with the dogs and the walrus meat, not exactly the best of motel accommodations. Eventually, he flew to Lawrence Bay on 6 February, and to Uelen, for the second time, and with a replacement airplane, on 18 February 1934.

Ляпидевский достиг Уэлена

Один из летчиков был уже совсем близко. Анатолий Ляпидевский находился в Анадыре с двумя самолетами «АНТ-4». Он хотел достичь Уэлена еще 20 декабря, за несколько недель до крушения «Челюскина», однако у него кончился сжатый воздух, и он не смог запустить двигатели. Температура упала до минус 34°С. Он был вынужден возвращаться в Провидение на собачьих упряжках. Тяжелый путь занял почти месяц, он отдыхал в ярангах чукчей в компании с собаками и питался моржовым мясом. В общем, условия путешествия были весьма суровые. В конечном счете он прилетел в залив Св. Лаврентия только 6 февраля, а до Уэлена добрался 18 февраля 1934 года на другом самолете.

Delay, Delay . . .

In landing, Lyapidevsky damaged the landing gear, and decided to use the first ANT-4 which could not be started. But the weather closed in, with minimum visibility, and every attempt—including those from Providenya and Lawrence Bay, he made 28 flights in total—had to be abandoned. Eventually, his patience ran out. On 5 March, with the temperature at minus 36° Celsius, he took off, with flight observer Petrov and flight mechanic Rukovski.

Задержки, задержки...

Приземляясь, А. В. Ляпидевский повредил шасси и решил вновь использовать свой первый «АНТ-4», который не заводился. Погода ухудшилась, видимость была минимальная. Всего он сделал 28 попыток вылетов как из Провидения так и из залива Св. Лаврентия, и вынужден был остановиться. В конце концов, его терпение лопнуло, и 5 марта при температуре минус 36°С он вылетел вместе с воздушным наблюдателем Петровым и бортовым механиком Раковским.

Anatoli Lyapidevsky
Анатолий Ляпидевский

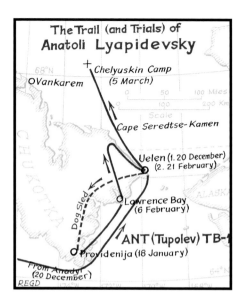

This photograph of one of the twin-engined ANT-4s (designed by A.N. Tupolev) was taken at Provideniya.

Это фотография одного из двухмоторных «АНТ-4», разработанных А.Н. Туполевым, сделана в бухте Провидения.

This map illustrates the hardship encountered by Anatoli as he tried to reach the ice-camp. He set off from Anadyr on 20 December and reached the camp, by a far from direct route, only on 5 March.

На карте видны попытки Анатолия Ляпидевского добраться до ледового лагеря. Он вылетел из Анадыря 20 декабря и, пройдя очень нелегкий путь, долетел до лагеря только 5 марта.

Anatoli Lyapidevsky photographed with the first of the Chelyuskinians to be rescued from their ordeal on the ice-camp. The lady with baby Karina is Dorothea Vasilyeva.

Анатолий Ляпидевский сфотографирован вместе с первыми челюскинками, которые были эвакуированы из ледового лагеря. Женщина с ребенком – Доротея Васильева с Кариной.

Lyapidevsky Gets Through   Ляпидевский прорывается

Dramatic Moments

Leaving Uelen, they flew at first along the coast to Cape Serdtse Kamen, then headed out to sea. After long, long minutes, Petrov caught sight of the smoke from the camp. Then he could see the Shavrov floatplane. He landed on the 450 x 50-metre airstrip "with extreme care."

Драматический момент

Покинув Уэлен, они сначала полетели вдоль побережья к мысу Сердце-Камень, а затем направились в открытое море. После долгих, долгих минут Петров разглядел дым, поднимавшийся над лагерем. Затем он увидел самолет «Шавров». Они сели на полосу 450 X 50 метров с «максимальной осторожностью».

Women and Children First

On that day, 5 March 1934, Lyapidevsky evacuated twelve people, all the women and the two children. This was the first twin-engine landing ever made on Arctic ice. A snowstorm then broke out and prevented any further landings at the camp. Lyapidevsky made several attempts, but crash-landed between Uelen and Vankarem, and broke the landing gear. The airplane was out of action for several weeks. Meanwhile, more aviation help was near.

Сначала женщины и дети

В тот день 5 марта 1934 года Ляпидевский эвакуировал двенадцать человек: только женщин и маленьких детей. Это была первая в истории посадка тяжелого самолета на арктический лед. Затем начался буран, и дальнейшие посадки возле лагеря стали невозможны. А. В. Ляпидевский сделал несколько попыток, но при аварийной посадке между Уэленом и Ванкаремом повредил шасси. На несколько недель самолет вышел из строя. В это время на пути к ним была следующая команда спасателей.

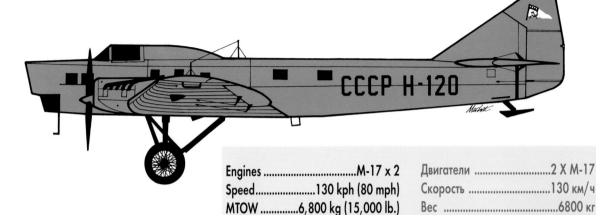

CCCP H-120

Engines	M-17 x 2	Двигатели	2 Х M-17
Speed	130 kph (80 mph)	Скорость	130 км/ч
MTOW	6,800 kg (15,000 lb.)	Вес	6800 кг
Max Range	1,000 km (630 miles)	Радиус полетов	1000 км

Artist's Notes: In its day, this was a large aircraft that was usually painted in an attractive bright blue and yellow scheme, but the aircraft used for the rescue was a dull medium grey.

Примечание художника: для своего времени это был большой самолет, на который обычно наносили красивый рисунок ярко-синего и желтого цвета. Самолет, который участвовал в спасательных работах, был покрашен в тусклый серый цвет.

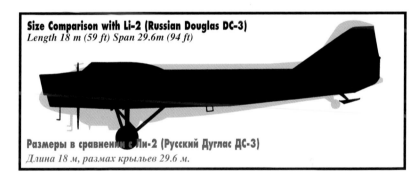

Size Comparison with Li-2 (Russian Douglas DC-3)
Length 18 m (59 ft) Span 29.6m (94 ft)

Размеры в сравнении с Ли-2 (Русский Дуглас ДС-3)
Длина 18 м, размах крыльев 29.6 м.

This was the historic moment when the first women clambered on board Lyapidevsky's ANT-4, to mark the first time a twin-engined airplane had landed on the Arctic ice.

Это был исторический момент, когда первые женщины вскарабкались на борт самолета Ляпидевского «АНТ-4». Впервые в мире тяжелый двухмоторный металлический самолет совершил посадку на арктический лед.

Nikolai Kamanin

Николай Каманин

Erosion of a Fleet

On 21 March 1934, the first aircraft unit, under the direction of Nikolai P. Kamanin, took off from Olyutorskiy and headed to the northeast. The five aircraft had arrived by ship, the *Smolensk*, which had sailed from Vladivostok on 22 February, calling at Petropavlovsk-Kamchatski. Kamanin was the commander of a squadron of the Special Far Eastern Army, whose main assignment was to be ready for a possible attack from Japan. They arrived at Mayna-Pilgym and next day four of the Polikarpov R-5s left for Anadyr. One of the team, B.V. Bastanzhiev, had to stay behind because of damage to his aircraft, and I.M. Demirov had to return because of heavy cloud and low visibility.

On 23 March, the remaining pilots tried to fly to Vankarem but dense fog turned them back. Six days later, they tried again but had to land at Kainergyn, a small village. They decided to follow the coast to Provideniya, but Pivenstein was left behind en route at Vankarem, because Kamanin's aircraft was damaged and short of fuel. The latter continued on with Molokov in Pivenstein's aircraft.

В разные стороны

21 марта 1934 года первое самолетное звено под руководством Николая Каманина поднялось в воздух с Олюторского и направилось на северо-восток. Эти пять самолетов прибыли на корабле «Смоленск», который вышел из Владивостока 22 февраля и зашел в Петропавловск-Камчатский. Каманин был командиром звена Особой Дальневосточной Армии, основной задачей которой было отражение возможной атаки со стороны Японии. Они прибыли в Майна-Пыльгин, и на следующий день на четырех самолетах «Поликарпов Р-5» полетели в Анадырь. Один из членов команды Б. В. Бастанжиев, был вынужден отстать из-за повреждения самолета, И. М. Демиров был вынужден вернуться из-за сильной облачности и плохой видимости.

23 марта оставшиеся пилоты попытались вылететь на Ванкарем, но из-за плотного тумана вернулись назад. Шесть дней спустя они попытались вылететь снова, но были вынуждены приземлиться в небольшой деревне Кайнергин. Они решили лететь вдоль побережья до Провидения, но А. Пивенштейн отстал на пути в Ванкарем, потому что самолет Н. П. Каманина был поврежден и остался без горючего. Дальнейший путь он продолжал на самолете Пивенштейна вместе с В. С. Молоковым.

Casualties and Delays - but Ultimate Triumph

Demirov and Bastanzhiev, who had fallen behind, tried to fly to Anadyr, but both aircraft hit a mountain and crashed. For three days, the pilots wandered through the tundra, half-starved and half-frozen, but happily managed to reach Anadyr, after a trek of 30 kilometres.

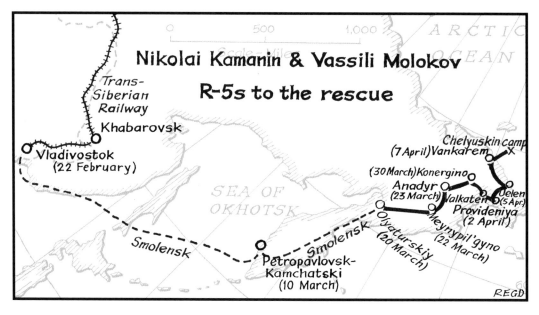

Two months were to elapse from the day when the Chelyuskin *went down to the main rescue operation. Kamanin's team went by rail, sea, and air.*

Прошло два месяца с момента крушения «Челюскина» до начала главной спасательной операции. Команда Н. П. Каманина добиралась к ним по железной дороге, по воде и воздуху.

Thus three pilots and three aircraft were now unable to join in the rescue operations.

On 5 April, Kamanin and Molokov arrived at Uelen. The following day a blizzard delayed them again but on 7 April they flew to Vankarem. They were the only ones of the first rescue unit to reach their destination, but they acquitted themselves well. Of the 104 evacuees from the Schmidt camp, Molokov brought back 39 and Kamanin 34, for a total of 73.

Аварии и задержки закончились триумфом

Отставшие И. М. Демиров и Б. В. Бастанжиев вылетели в Анадырь, но оба их самолета врезались в гору и разбились. Три дня пилоты пробирались через тундру полуголодные и полузамерзшие, но все-таки, пройдя 30 километров, добрались до Анадыря. Итак теперь уже три пилота и три самолета не могли участвовать в операции.

5 апреля Н. П. Каманин и В. С. Молоков прилетели на Уэлен. На следующий день была метель, но 7 апреля они вылетели на Ванкарем. Они единственными из первого поискового звена достигли цели и оправдали доверие. Из всех 104 человек, эвакуированных из ледового лагеря В. С. Молоков забрал 39 и Н. П. Каманин - 34 - всего 73 челюювека.

Polikarpov R-5
«Поликарпов Р-5»

The Polikarpov R-5 was a versatile biplane that was built in large numbers—6,726 in all versions—during the latter 1920s and the 1930s. They were used for training, light bombing, reconnaissance, ambulance, and transport duties. As a floatplane they served Aeroflot along the Ob, Yenesei, and Lena rivers. The ambulance version carried covered postal crates beneath the wings, and this idea was put into good use in the *Chelyuskin* rescue operation—see page 68.

«Поликарпов Р-5» был многоцелевым бипланом, который выпускался большими сериями: 20-х –30-х годах было выпущено 6726 «Р-5» всех модификаций. Они использовались для тренировок, легких бомбардировок, разведки, скорой медицинской помощи и транспорта. Они служили Аэрофлоту в качестве гидросамолетов на реках Обь, Енисей и Лена. Медицинская версия была снабжена почтовыми ящиками под крыльями, которые нашли хорошее применение в спасательной операции «Челюскина» - см. стр. 68.

Artist's Note: As was customary during the period, the Soviet registration characters and numerals on this aircraft and were hand-painted. Consequently they have a slightly rough appearance.

Примечание художника: обычной практикой того времени было рисовать регистрационный номер на самолете краской вручную, поэтому номера смотрятся немного неровными.

Engine............	M 17b (500–680 hp)
Speed...................	140 kph (85 mph)
MGTOW..........	3,250 kg (7,215 lb.)
Range...............	700 km (435 miles)
Двигатель	М-176 (500-680 л.с.)
Скорость	140 км/час
Масса	3 250 кг
Радиус полетов	700 км

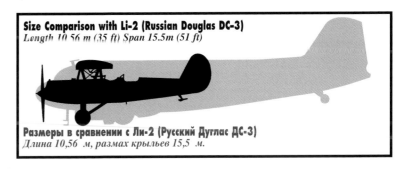

Size Comparison with Li-2 (Russian Douglas DC-3)
Length 10.56 m (35 ft) Span 15.5m (51 ft)

Размеры в сравнении с Ли-2 (Русский Дуглас ДС-3)
Длина 10,56 м, размах крыльев 15,5 м.

(Left) The Chelyuskinians greet one of the Polikarpov R-5s at the ice-camp. Of the 104 people rescued, 73 were by this versatile aircraft (39 by Molokov, 34 by Kamanin)

(Слева) Челюскинцы приветствуют один из «Поликарповых Р-5» в ледовом лагере. Из 104 спасенных 73 человека были спасены этими удивительными машинами (39 В.С. Молоковым и 34 Н. П. Каманиным)

(Right) Nikolai Kamanin with (left) his navigator, Shelyganov, and (right) his mechanic, Gorelov.

(Справа) Николай Каманин со штурманом Шелыгановым (слева) и механиком Гореловым (справа)

Vasili Molokov

Василий Молоков

Polar Experience

When, in mid-February 1934, Vasili Molokov heard about the fate of the *Chelyuskin*, he was on a routine survey/supply flight along the Yenesei River. He had already completed 30 such flights, pioneering what was to be a regular route flown by AviaArktika, eventually absorbed into Aeroflot. On this occasion, flying a trusty Polikarpov R-5, with a tail-wind between Turukhansk and Igarka, he completed the 220-kilometre route in 52 minutes—quite an achievement for a biplane of that era. The picture on this page shows a map of the huge Yakutia Region of eastern Siberia, another area with which he was to become familiar—see the map opposite.

Полярный опыт

Когда в середине февраля 1934 Василий Молоков услышал о судьбе «*Челюскина*», он работал на Енисее на испытательном маршруте по доставке продуктов и снаряжения. Он совершил 30 успешных вылетов и был первым летчиком будущего регулярного маршрута авиакомпании АвиаАрктика, которая позже стала частью Аэрофлота. Тогда на верном «Поликарпове Р-5» при попутном ветре он преодолел 220 километров от Туруханска до Игарки за 52 минуты - серьезное достижение для биплана того времени. На фотографии видна карта огромной территории Якутии, региона восточной Сибири, с которым ему предстояло познакомиться (см. карту напротив).

To the Rescue!

When he joined the No. 1 rescue unit under the command of Kamanin, there was an understanding of mutual respect, Molokov recognizing the military authority of Kamanin, and the latter respecting the valuable experience in Polar flying of the former. For Vasili had sometimes gone beyond the length of the Yenesei River, reaching as far north as the island of Novaya Zemlya and (was it ordained?) as far as Cape Chelyuskin, the most northerly point of the Eurasian continental mass.

During the heroic shuttle service to the *Chelyuskin* ice-camp, he flew out 39 of the 104 people evacuated.

На помощь!

Когда В. С. Молоков вступил в поисковое звено №1 под командованием Н. П. Каманина, между ними установилось взаимное уважение. Молоков признавал военный авторитет Каманина, а тот, в свою очередь, ценил большой полярный опыт Молокова. Василий несколько раз пролетал вдоль всего Енисея и далее на север до самой Новой Земли и (была ли это судьба?) до мыса Челюскина, самой северной точки Евроазиатского континента.

Во время героического спасения челюскинцев, он переправил по воздуху 39 из 104 человек.

This picture was taken when one of the Polikarpov R-5s arrived at Vankarem.

На снимке: один из «Поликарповых Р-5» прибыл в Ванкарем.

58

Siberian Destiny

Сибирская судьба

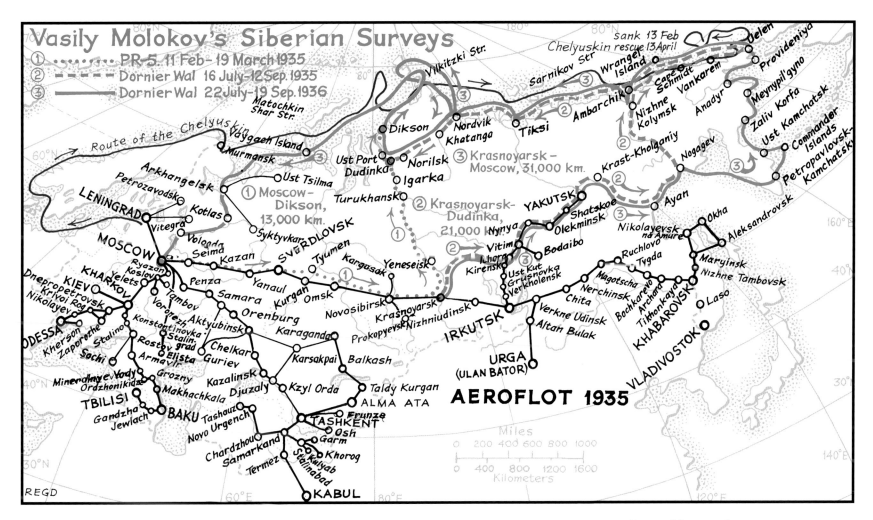

Vasily Molokov's Siberian Surveys
① .... PR-5. 11 Feb– 19 March 1935
② – – – – – Dornier Wal 16 July–12 Sep. 1935
③ ———— Dornier Wal 22 July–19 Sep. 1936

① Moscow–Dikson, 13,000 km.

② Krasnoyarsk–Dudinka, 21,000 km.

③ Krasnoyarsk–Moscow, 31,000 km.

Route of the Chelyuskin

Sank 13 Feb
Chelyuskin rescue 13 April

AEROFLOT 1935

Miles
0 200 400 600 800 1000

0   400   800   1200 1600
Kilometers

REGD

In some ways, Vasili Molokov's flying career had much in common with that of his American counterpart, Charles Lindbergh. Neither of them sought to break records of distance, speed, or height. Both worked diligently in surveying territories that were previously little explored, and certainly where aviation was almost unknown. Lindbergh flew to China and across Greenland during his extensive surveys for Pan American Airways; Molokov did the same across the northern wastelands of Siberia. This map shows the intensive work that he did during the years following the Chelyuskin rescue. And in 1937, he was one of the select company of ANT-6 pilots who took the Papanin Expedition to the North Pole. Vasili's best work was still to come. (Map courtesy *Aeroflot — an Airline and it's Aircraft*, Paladwr Press)

В некотором смысле, летная карьера Василия Молокова была очень похожа на карьеру его американского коллеги Чарльза Линдберга. Ни один из них не пытался установить рекорды расстояния, скорости или высоты. Оба много работали, исследуя новые мало изученные территории, где авиации еще не было. Линдберг летал в Китай и пересекал Гренландию, исследуя новые маршруты для компании Пан Америкэн. В. С. Молоков делал то же самое, на северных просторах Сибири. Эта карта показывает какую большую работу он проделал за годы после спасения «Челюскина». В 1937 году он был в группе пилотов «АНТ-6», которые доставили экспедицию Папанина на Северный Полюс. Лучшие полеты Василия были еще впереди (карты из книги «Аэрофлот: авиакомпания и ее самолеты» любезно предоставлены Паладвр Пресс).

Mikhail Vodopianov and Ivan Doronin
Михаил Водопьянов и Иван Доронин

The Second Unit Gets Through

The Second Unit was one on which the government committee had set great hopes, because the Junkers-F 13 airplane was metal-built and therefore strong; and it had a cabin. But the long journey from Khabarovsk to Chukotka met with difficult meteorological conditions. Doronin and Galyshev led the way at first. Vodopyanov caught them up at Okhotsk, but he was the first to arrive at Nagayevo Bay (now Magadan). The whole unit was delayed there because of a blizzard. There was a further delay at Gizhinga, but at last, on 4 April, they arrived at Anadyr, where pilots Demirov and Bastanzhiev, from Kalanin's First Unit, awaited them.

At Anadyr they encountered yet another blizzard, and Galyshev was obliged to stay behind because his aircraft had to be repaired. On 11 April, Vodopyanov decided to fly directly to Vankarem over the Anadyr mountain ridge. This was the same route that Kamanin's Unit had failed to make. Mikhail was lucky enough to meet fair weather, but a strong wind led to his deviating from his route, and he ended up, on the same day, at Cape North. Doronin, however, set out a little later in the day, and he crossed the mountain ridge on course and landed at Vankarem.

Второе звено добралось

На второе звено правительство возлагало самые большие надежды, т.к. самолет «Юнкерс Ф 13» был сделан из прочного металла и имел кабину. К сожалению, на длинном пути из Хабаровска на Чукотку были очень плохие погодные условия. И. В. Доронин и В. И. Галышев отправились первыми. М. В. Водопьянов догнал их в Охотске, но именно он первым прибыл в бухту Нагаево (ныне Магадан). Все звено задержалось здесь из-за бурана. Потом они задержались в Гижинге, но, наконец, 4 апреля прибыли в Анадырь, где их ждали пилоты И. М. Демиров и Б. В. Бастанжиев из каманинского первого звена.

В Анадыре они снова попали в буран, после которого В. И. Галышеву пришлось остаться ремонтировать свой самолет. 11 апреля М. В. Водопьянов решил лететь прямо на Ванкарем через Анадырское плоскогорье. Это был тот самый маршрут, который не удалось преодолеть пилотам звена Н. П. Каманина. Михаил оказался удачливым - погода стояла хорошая, но сильный ветер заставил его все-таки отклониться от курса, и он в тот же день приземлился на мысе Северном. И. В. Доронин, вылетевший немного позднее в тот же день, пересек горный массив и приземлился в Ванкареме.

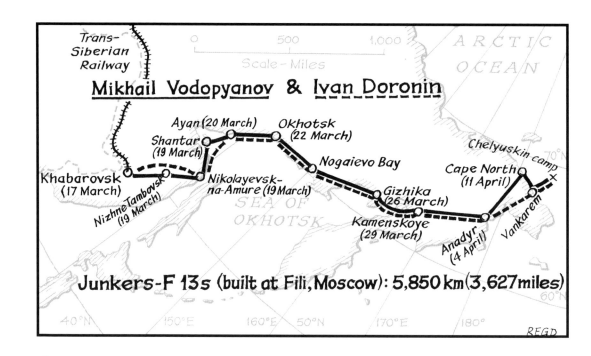

The three R-5 and one Junkers-F 13 allocated for the rescue had the most difficult assignment. They had to fly a circuitous route, 1,000 miles further than the width of the United States, in Siberian winter conditions. Greatly disappointed, Galyshev did not manage to reach the destination.

Три «Р-5» и «Юнкерс Ф13» выполняли самые трудные задачи. Они должны были летать по прибрежному маршруту, на 1000 миль длиннее, чем ширина Соединенных Штатов в суровых сибирских условиях. К большому сожалению, В. И. Галышев не смог достигнуть пункта назначения.

The Rescuers Assemble

Between 7 and 11 April, in the Vankarem-Cape North area, the nearest stretch of coast to the ice-camp castaways, six airplanes from the rescue teams now gathered. These comprised the P-5s of Kamanin and Molokov (Unit 1), R-5 of Vodopianov and the Ju-F 13 of Doronin (Unit 2), and two Fleetsters of Slepnev and Levanevsky (see page 62). Lyapidevsky's ANT-4 was also there, but its landing gear needed repair. A seventh airplane, the Shavrov Sh 2 amphibian, piloted by Babushkin, had been salvaged, repaired, and flown to the mainland (see page 64).

Коллектив спасателей

С 7 по 11 апреля в районе Ванкарем - мыс Северный на ближайшем к ледовому лагерю участке побережья собралось шесть самолетов спасателей. Это были «Р-5» Н. П. Каманина и В. С. Молокова (звено 1), «Р-5» М. В. Водопьянова и «Ю-Ф13» И. В. Доронина (звено 2) и два «Флейтстера» М. Т. Слепнева и С. А. Леваневского (см. стр. 62). «АНТ-4» А. В. Ляпидевского тоже был здесь, но его поврежденное шасси нуждалось в ремонте. Седьмой самолет, амфибия «Шавров Ш-2», пилотируемый М. С. Бабушкиным, был спасен, отремонтирован и перелетел на материк (см. стр. 64).

Junkers-F 13
«Юнкерс Ф13»

After the Revolution of 1917 the new Soviet Government was anxious to industrialize the country by any means. It had few friends in the West, but vanquished Germany was equally keen for economic recovery. Finding a mutual and reciprocal need, the Treaty of Rapallo, signed on 16 April 1922, circumvented the terms of the Peace Treaties imposed by the Allies.

One sequel an airline between the two capitals, provided by a joint Soviet-German company, Deruluft. Also Germany provided aeronautical expertise. Junkers established a branch factory in the Fili district of Moscow to produce the sturdy and versatle F-13s.

This metal-built transport airplane was ideal for the extremes of climate in Siberia. They played their part well in the *Chelyuskin* rescue.

После революции 1917 года новое Советское правительство стремилось осуществить индустриализацию страны любой ценой. У них было мало друзей на Западе, однако побежденная Германия, так же как и Советы, усиленно занималась восстановлением своей экономики. Оценив взаимную выгодность положения, 16 апреля 1922 годы страны подписали двусторонний Рапалльский договор в обход условий мирных договоров с Антантой.

Одним из результатов выполнения договора стала авиалиния между столицами двух стран. Германия также предоставила своих авиационных экспертов. Компания «Юнкерс» открыла в Филях филиал завода по производству самолетов «Ф-13».

Этот сконструированный из металла транспортный самолет идеально подходил для экстремальных условий Сибири. Он очень хорошо показал себя при спасении челюскинцев.

Engines	Junkers L5	Двигатели	Юнкерсы Л5
	(BMW 111a) 310 hp		(БМВ 11а) 310 л.с.
Speed	135 kph (85 mph)	Скорость	135 км/час
MTOW	1,800 kg (4,000 lb.)	Масса	1800 кг
Max Range	400 km (250 miles)	Радиус полетов	400 км

Artist's Notes: The windows on the F-13 variant used for this mission were blocked out. Because of the limitations of picture size, the characteristic Junkers metal corrugations cannot be drawn to the exact scale.

Примечание художника: иллюминаторы самолета «Ф-13», который использовался для спасательных работ, были задраены. Размер рисунка не позволяет изобразить в правильном масштабе характерные для «Юнкерсов» складки рифленого железа.

Size Comparicon with Li-2 (Russian Douglas DC-3)
Length 9.6 m (32 ft) Span 17.8m (59 ft)

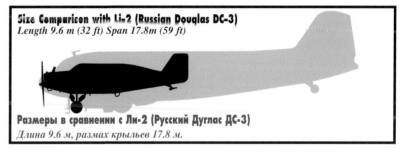

Размеры в сравнении с Ли-2 (Русский Дуглас ДС-3)
Длина 9.6 м, размах крыльев 17.8 м.

Mikhail Vodopianov
Михаил Водопьянов

*The scene at Vankarem when Doronin arrived in his Junkers-F 13.
Сцена прибытия И. В. Доронина на «Юнкерсе Ф13» в Ванкарем.*

Ivan Doronin
Иван Доронин

61

Sigismund Levanevsky and Mavriki Slepnev
Сигизмунд Леваневский и Маврикий Слепнев

The Long Way Round

The planning to rescue the Chelyuskinians took account of every eventuality. Different aircraft were dispatched, a biplane, monoplanes, wood-and-fabric, and metal-built. All had skis. Unit 1 (pages 56–57) went as far as it could by sea. Unit 2 (pages 60–61) undertook the long and hazardous 3,500-mile journey all the way from the Trans-Siberian Railway at Khabarovsk.

Moscow also recognized the risks involved with flying in the extreme northeast of Siberia and took the precaution of taking another route. Unit 3 went westward, recognizing that the Chukotka Peninsula was only a short distance from Alaska. Furthermore, the committee knew that airmen in Alaska had much experience in flying in extreme winter conditions in a similar climate. As the map shows, this was a long journey.

Длинный обходной путь

При планировании спасения челюскинцев принимались во внимание все обстоятельства. К операции подключили самолеты разных типов: бипланы и монопланы, деревянные и металлические. Все были оснащены лыжами. Первое звено (см. стр. 56 и 57) максимально продвинулось морем. Второму звену (стр. 60 и 61) пришлось проделать долгий и опасный путь длиной 3500 миль от самой Транссибирской магистрали в районе Хабаровска.

Москва понимала весь риск, связанный с полетами в экстремальных условиях северо-восточной Сибири, и потому подстраховалась, послав третье звено в обход на запад, понимая, что Чукотский полуостров лежит на небольшом расстоянии от Аляски. Комиссии также был известен богатый опыт полетов в экстремальных зимних условиях летчиков Аляски. Как видно на карте, это был долгий путь.

Sigismund Levanevsky was the most famous Soviet pilot. Tragically, he lost his life in 1937 when attempting to fly from Moscow to the United States across the North Pole. 1937

Сигизмунд Леваневский был самым знаменитым советским пилотом. Он трагически погиб в 1937 году, осуществляя перелет из Москвы в Соединенные Штаты через Северный полюс.

The scene at Nome, Alaska, as the two Consolidated Fleetsters are prepared for their flight across the Bering Strait.

Ном, Аляска. Два «Флейтстера» готовятся к совместному перелету через Берингов пролив.

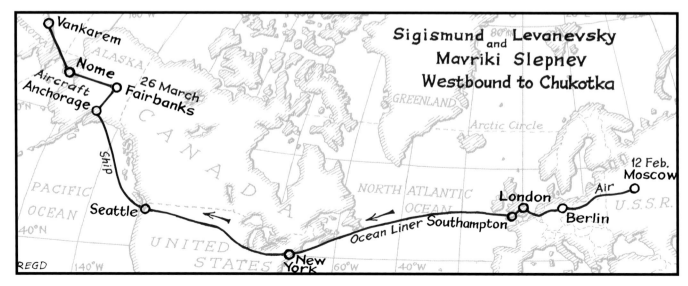

Consolidated Fleetster «Флейтстер» с двойной регистрацией

The tragedy of the *Chelyuskin* disaster occurred during a period when diplomatic relations between the Soviet Union and the United States were not exactly warm. But in the world of aviation, political barriers are always tenuous. Throughout history, particularly in the field of air transport, airmen of all colors, creeds, and political persuasions have cooperated in an atmosphere of mutual respect. Humanitarian considerations took precedence over political dogma.

Thus, through AMTORG, the Soviet trading agency specializing in commerce with the United States, two Consolidated Fleetster cabin monoplanes were purchased, and the two pilots, accompanied by Ushakov and two American mechanics, took off from Fairbanks to Nome, and thence to Chukotka.

Трагическая эпопея «Челюскина» пришлась на тот период, когда отношения между Советским Союзом и Соединёнными Штатами были не совсем тёплыми. В мире авиации политические вопросы всегда имели большое значение. Однако за всю историю развития воздушного транспорта авиаторы всех рас и политических убеждений относились друг к другу с большим уважением. Соображения гуманизма были сильнее политических догм.

Итак, при содействии АМТОРГа (Советской организации, специализирующейся на торговле с Соединёнными Штатами) было закуплено два моноплана «Флейтстер» с кабинами. Два пилота вместе с Г. А. Ушаковым и двумя американскими механиками вылетели из Фэрбанкса в Ном и оттуда на Чукотку.

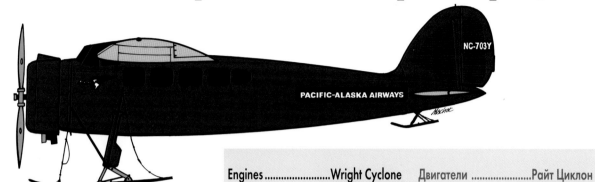

PACIFIC-ALASKA AIRWAYS

NC-703Y

Artist Note: Painted dark blue and yellow for Alaskan operations, this ex-Pan American aircraft still had the Pan American logo forward of the windows. The door, normally on the left rear of the fuselage, was on the forward right side. The streamlined tail wheel fairing was deleted with the use of skis

Примечание художника: выкрашенный в тёмно-синий и жёлтый цвет для полётов на Аляске этот самолёт, принадлежавший ранее компании Пан-Америкэн, всё ещё имел её эмблему на передних иллюминаторах. Дверь, которая обычно располагалась в хвосте слева от фюзеляжа, здесь была в передней части справа. Обтекатель заднего шасси был стёрт ввиду использования лыж.

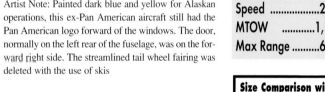

Engines	Wright Cyclone (R-1820) 575 hp	Двигатели	Райт Циклон (Р-1820) 575 л.с.
Speed	250 kph (142 mph)	Скорость	250 км/час
MTOW	1,764 kg (6,280 lb.)	Масса	1,764 кг
Max Range	600 km (375 miles)	Радиус полёта	600 км

Size Comparison with Li-2 (Russian Douglas DC-3)
Length 10.3 m (34ft) Span 15.2m (50 ft)

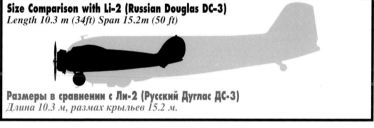

Размеры в сравнении с Ли-2 (Русский Дуглас ДС-3)
Длина 10.3 м, размах крыльев 15.2 м.

Mavriki Slepnev
Маврикий Слепнев

The Fleetsters were originally delivered to Ludington Airlines at the end of May 1932, and passed to Eastern Air Transport on 15 February 1933. Sold to Pacific Alaska Airways on 29 May 1933, they were specially modified for Arctic conditions. The Soviet trading organization, AMTORG, purchased them on 24 March 1934. They are believed to be the only aircraft ever to have had dual U.S.-Soviet registrations. NC-704Y was also U.S.S.R. M.S. NC-703Y was also U.S.S.R. S.L., the initials being those of the Russian pilots.

«Флейстеры» изначально были доставлены в авиакомпанию «Лодингтон Айрлайнз» в конце мая 1932 года. Потом их передали «Истэрн Айртранспорт» 15 февраля 1933 года. Они были специально модифицированы для использования в полярных условиях и проданы «Пасифик Аляска Айрвейз» 29 мая 1933 года. Советская торговая организация АМТОРГ закупила их 24 мая 1934 года. Они стали единственными в истории самолётами с двойной регистрацией СССР-США. NC-704Y был одновременно СССР МС, а NC-703Y – СССР СЛ. Инициалы соответствовали инициалам Советских пилотов.

Mikhail Babushkin

Михаил Бабушкин

Arrival of the Shavrov Sh-2

In addition to the relief aircraft that had battled their way through to Vankarem, a seventh airplane joined them. This was the little Shavrov Sh-2 amphibian, piloted by Mikhail Babushkin, who had conducted the *Chelyuskin's* aerial reconnaissance. The aircraft had been salvaged, repaired, and, on 2 April, it flew to the mainland, where the Emergency Board of Three, headed by G.G. Petrov, had gathered to plan the rescue.

Vankarem Builds an Airfield

A good airfield had been prepared on the ice of the lagoon, but snowstorms at the end of March had kept ruining the landing strip with large snowdrifts. After every blizzard, with the help of the local Chukchi population, the field had to be cleared of snow. At first everything went well, but as time went on, the local labor force became skeptical as to the outcome, and became impatient.

Spirits Revived

The arrival of Babushkin and his mechanic G. Valavin in the Shavrov was welcomed by the whole community at Vankarem; and, by the local communication methods—known only to the Chukotka people—the good news spread though the area. The rescue plans were taking shape and were within sight of success.

Прибытие «Шаврова Ш-2»

К самолетам-спасателям, прилетевшим в Ванкарем, присоединился еще один. Это был маленький гидросамолет «Шавров Ш-2», пилотируемый Михаилом Бабушкиным, который проводил ледовую разведку на «Челюскине». Самолет был спасен, отремонтирован и 2 апреля полетел на материк, где работала Чрезвычайная Тройка во главе с Г. Г. Петровым для обсуждения плана спасательной операции.

В Ванкареме сделан аэродром

На льду лагуны было расчищено хорошее летное поле, однако бураны, начавшиеся в конце марта, постоянно превращали взлетные полосы в огромные сугробы. После каждого заноса местные жители чукчи должны были снова расчищать снег. Сначала все шло хорошо, но через некоторое время местные жители охладели к такой работе и разуверились в успехе.

Воспряли духом

Прибытие М. С. Бабушкина с механиком Г. Валавиным на «Шаврове» приветствовалось всем населением Ванкарема. Добрая весть быстро распространилась по всему району особыми только чукчам известными способами. План операции был почти готов, и все предвещало успех.

The little Shavrov Sh-2 had survived the journey across the Arctic Ocean, but not without damage. But improvised repairs, as pictured here with the landing gear, kept it airworthy.

Маленький «Шавров Ш-2» выдержал путешествие через Ледовитый океан, но не без мелких повреждений. Починка шасси на месте подручными средствами сделала его вполне пригодным к полету.

Of all the equipment rescued from the Chelyuskin *when she sank was the Shavrov Sh-2 floatplane. Salvaging it was not the easiest task.*

Среди спасенного с тонущего корабля имущества был небольшой гидросамолет «Шавров Ш-2». Его спасение было нелегкой задачей.

With great efforts by the mechanics and carpenters of the expedition team, Mikhail Babushkin was able to make his contribution to the rescue program. The aircraft is now displayed in the Arctic-Antarctic Museum in St. Petersburg.

Благодаря немалым совместным усилиям механиков и плотников экспедиции Михаил Бабушкин смог внести свой вклад в спасательную операцию. Самолет сейчас выставлен в Музее Арктики и Антарктики в С.-Петербурге.

Lyapidevsky's Tupolev ANT-4 (TB-1) at Provideniya.
«АНТ-4» (ТБ-1) А. В. Ляпидевского в бухте Провидения.

Levanevsky's and Slepnev's Consolidated Fleetsters, at Fairbanks.
«Флейтстеры» С. А. Леваневского и М. Т. Слепнева в Фэрбанксе.

One of the Fleetsters and two Polikarpov R-5s at the ice-camp.
Один из «Флейстеров» и два «Поликарпова Р-5» в ледовом лагере.

One of the Fleetsters, piloted by Slepnev, brings in the dog team.
Один из «Флейстеров», пилотируемый М. Т. Слепневым, привез собачью упряжку.

The Rescue

Спасение

The evacuation of the 92 people still left on the ice camp started on 7 April and ended on 13 April 1934. On the first day, three aircraft, piloted by Mavriki Slepnev, Vassili Molokov, and Nikolai Kamanin, set out from Vankarem and headed for the ice floe. G.A. Ushakov, the government committee representative, was on board Slepnev's aircraft, which was also bringing in dogs that could be used to haul on sleds any heavy items that the ice campers might find too much of a burden to manage. "From the luxurious cabin of velvet upholstery and expensive carpets came eight dirty dogs."

More than a month had passed since Lyapidevsky's successful flight to bring out 10 women and children. The state of the ice was worsening every day, as early spring weather affected the movements and pressures in the pack-ice. Hummocks and splits appeared and the situation was becoming dangerous. The evacuation of the camp could no longer be postponed. Indeed, if the rescuing airplanes had not arrived when they did, desperation could have become tragedy.

Slepnev, first to arrive, in the Fleetster, could not at first land on the ice floe. He first touched down and then over-ran the improvised airstrip, too short for his fast airplane, and which was slightly damaged. Then Molokov and Kamanin landed, in their Polikarpov R-5s, and on the same day, flew back to Vankarem, each with five evacuees. Flights were resumed on 10 April, when the same three pilots brought 25 more people to the shore. Molokov made three flights. Thus, of the 104 castaways, 40 were now safe.

Эвакуация оставшихся 92 жителей ледового лагеря началась 7-го и закончилась 13-го апреля 1934 года. В первый день три самолета, пилотируемые Маврикием Слепневым, Василием Молоковым и Николаем Каманиным, вылетели из Ванкарема и приземлились на льдину. Представитель правительственной комиссии Г. А. Ушаков находился на борту машины Слепнева. Этот самолет также привез собачью упряжку для перевозки самых тяжелых вещей на нартах. «Из люксового салона с бархатной обивкой и роскошным ковром вылезли восемь грязных собак».

Прошло больше месяца с того момента, когда А. В. Ляпидевский успешно приземлился и увез 10 женщин и детей. Состояние льда ухудшалось с каждым днем, ранняя весенняя погода привела к перемещению и сжатию дрейфующих льдин. Образовались торосы и трещины, ситуация становилась опасной, и эвакуацию уже нельзя было откладывать. Действительно, если бы спасательные самолеты не прибыли вовремя, трагедия была бы неизбежной.

М. Т. Слепнев, прибывший первым на «Флейтстере», сначала не мог приземлиться на льдину. Он касался шасси льда, пробегал импровизированную полосу, слишком короткую для его быстрого самолета, который был к тому же слегка поврежден. Затем приземлились В. С. Молоков и Н. П. Каманин на своих «Поликарповых Р-5». В тот же день они вернулись в Ванкарем, каждый с пятью пассажирами. Полеты возобновились 10 апреля, когда эти же три пилота переправили на берег еще 25 человек. В. С. Молоков совершил три полета. Итак, из 104 потерпевших было уже спасено 40 человек.

(right) **This painting by Reshetnikov emphasizes the difficulties caused by the breaking up of the ice floes where the Chelyuskinians were precariously camped. The airplanes could not land close to the camp, because of the presence of hummocks and great splits in the ice which left open channels between the camp and the only area that could be levelled and cleared for an airstrip. A crowded boat and a balancing act in "walking the plank" was taken in their stride by the hardy survivors.**

(справа) **Эта картина Ф. П. Решетникова показывает какие трудности возникли на льдине, где обосновались челюскинцы. Самолеты не могли приземлиться вблизи лагеря из-за торосов и больших разломов льда. Между лагерем и местом, где была единственная ровная расчищенная площадка для аэродрома, образовались каналы открытой воды. Видно, как из переполненной шлюпки выходят люди и осторожно, как по канату, переходят с одной льдины на другую.**

Schmidt is Evacuated

Шмидт эвакуирован

On 6 April, the expedition chief, Otto Schmidt, fell seriously ill, with pleurisy. At first, he refused to leave until all others were rescued, but he was over-ruled. G.A. Ushakov made contact with Moscow, and the following telegram was received:

> The government committee suggests evacuating Schmidt to Alaska urgently, but the exact time is left to your discretion. You should keep us informed daily of his state of health. Let us know about your plans of his evacuation. Kuibyshev.

This was followed by another telegram, addressed to Otto Schmidt and Alexei Bobrov:

> In view of your illness, the government committee insists that Bobrov should take over. You are to obey Ushakov's directions and fly out to Alaska. Everybody sends greetings to you and is sure of your rapid recovery and return. Kuibyshev.

On 11 April, Schmidt left the ice floe with Molokov - who made four flights that day). From Vankarem, along with Ushakov and Doctor Nikitin, Slepnev took the patient in his Fleetster aircraft to the Alaskan city of Nome.

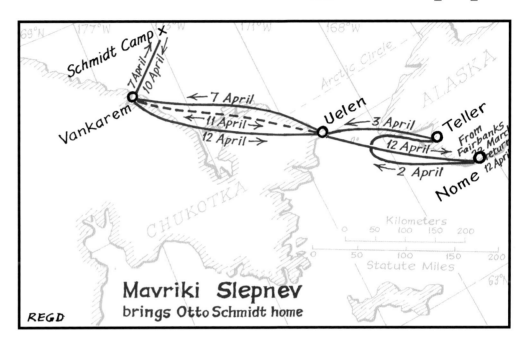

Mavriki Slepnev
brings Otto Schmidt home

6 апреля начальник экспедиции Отто Шмидт серьезно заболел воспалением легких. Он отказывался улетать до тех пор, пока Г. А. Ушаков не связался с Москвой, и оттуда не пришла следующая телеграмма:

> Правительственный комитет настаивает на немедленной эвакуации Шмидта на Аляску. Точное время эвакуации оставляем на ваше усмотрение. Вам необходимо ежедневно информировать нас о состоянии его здоровья. Сообщите нам о планах по его эвакуации. Куйбышев.

В следующей телеграмме, адресованной Отто Шмидту и Алексею Боброву, было написано:

> Ввиду вашей болезни правительственный комитет настаивает на передаче полномочий Боброву. Вы должны следовать указаниям Ушакова и лететь на Аляску. Все посылают вам поздравления и пожелания скорейшего выздоровления и возвращения. Куйбышев.

11 апреля О. Ю. Шмидт покинул льдину на самолете В.С. Молокова, который сделал в тот день четыре полета. Из Ванкарема в аляскинский город Ном пациента вместе с Г.А. Ушаковым и доктором К.А. Никитиным перевез М.Т. Слепнев на своем «Флейтстере».

G.A. Ushakov

Г.А. Ушаков

Mavriki Slepnev, along with Sigismund Levanevsky and Georgiy Ushakov, had come a long way, via the Atlantic Ocean and the United States, to arrive at the base in Fairbanks, Alaska, where they took over two Consolidated Fleetster cabin airplanes (see pages 62-63). But the problems of severe weather forced Slepnev to return to Teller, then to spend four nights at Uelen, before making the flight to the ice-camp on 7 April 1934. Three days later, he was able to fly Dr. Schmidt, ill with pleurisy, back to Nome; and then to Fairbanks, arriving there on 12 April. As the map shows, the rescue operations were never easy.

Маврикий Слепнев вместе с Сигизмундом Леваневским и Георгием Ушаковым проделали большой путь, через Атлантический океан и Соединенные Штаты, чтобы прибыть на базу в Фэрбанксе, Аляска, где они приняли два самолета типа «Флейстер» с закрытыми кабинами (см. стр. 62-63). Суровые погодные условия вынудили М. Т. Слепнева вернуться в Теллер, затем он провел четыре ночи на Уэлене и 7 апреля 1934 совершил полет на льдину. Спустя три дня ему удалось перевезти О. Ю. Шмидта, заболевшего воспалением легких, обратно в Ном, а затем 12 апреля в Фэрбанкс. Как подтверждает карта, спасательные операции никогда не бывают простыми.

Parachute Boxes

The Polikarpov R-5 was a versatile aircraft in its day, regarded by the Soviet pilots much as Americans viewed the Piper Cub or the British viewed the de Havilland Tiger Moth. One use to which the R-5 was adapted was as an emergency ambulance. With difficult access to and no room in the fuselage, special parachute boxes were hung under the lower wing. This idea was put to good use at the *Chelyuskin* camp, although the participants found that the improvised accommodation was a tight squeeze.

«Поликарпов» был для своего времени многоцелевым самолетом, к которому советские пилоты относились также как, американские пилоты к «Пайпер Каб» или британские к «Хэвиленд Тайджер Моз». «Р-5» часто использовались для оказания скорой медицинской помощи. Из-за трудного доступа и недостатка места в фюзеляже, под нижними крыльями были прикреплены специальные парашютные ящики. Эта модель хорошо показала себя при спасении ледового лагеря, хотя пассажирам импровизированного подкрыльного «салона» было довольно тесно.

The parachute box is inspected
Парашютные ящики проверяются

The passenger is prepared for boarding
Пассажир готов к перевозке

"All aboard"
«Все на посадку»

"Fasten seat belts."
«Пристегнуть ремни»

"Contact"
«Взлетаем»

Bobrov Takes Over   Бобров принимает руководство

From now on, the expedition was headed by Alexei Bobrov who, from the start, had been Otto Schmidt's deputy. So for the final acts in the drama, the leader could only keep abreast of progress from a distance. He was not alone. The whole country was following attentively the heroic struggle of the Soviet pilots as they worked diligently to rescue the stranded *Chelyuskin* survivors. There was great rejoicing at every piece of good news from Chukotka, relayed to them by radio operator Ernest Krenkel via the station at Uellen, operated by Ludmilla Schrader (see page 71). In street cars, in movie theaters, and on the streets, they followed the great rescue operation.

С этого момента экспедицию возглавил Алексей Бобров, который с самого начала был заместителем Отто Шмидта. На заключительном этапе руководитель должен был, в основном, следить за ходом и темпом работ. Он был не один. Вся страна следила за героическими усилиями советских пилотов по спасению челюскинцев. Люди жадно ловили все новости с Чукотки, которые передавали по радио оператор Эрнест Кренкель и радистка станции Уэлен Людмила Шредер (см. стр. 71). В трамваях, в кино и на улицах, все обсуждали замечательную операцию спасения.

Alexei Bobrov
Алексей Бобров

This scene at Vankarem, where only the dogs seemed to be at home, was one of desolation. But it was a welcome relief for the Chelyuskinians, aftere two months at the ice-camp.

Снимок Ванкарема, где, казалось, только собаки чувствуют себя как дома. Тем не менее, он был радушным домом для челюскинцев после двух месяцев, проведенных на льдине.

On 12 April, Mikhail Vodopianov and Ivan Doronin arrived to assist in the rescue operations. On that day, 22 more Chelyuskinians were evacuated. This made a total of 88 during six days of what had become a shuttle service between Vankarem and the rapidly deteriorating ice floe. Thus, counting the ten who had been rescued earlier by Lyapidevsky (pages 54-55) only six more people were left. The skeptics could no longer doubt the safe outcome of the aerial rescue operation.

12 апреля Михаил Водопьянов и Иван Доронин прибыли на помощь. В этот день было эвакуировано еще 22 челюскинца. Всего за шесть дней челночных рейсов с Ванкарема на быстро разрушающуюся льдину было спасено 88 человек. Итак, считая с десятью челюскинцами, вывезенными ранее А. В. Ляпидевским (см. стр. 54-55), на льдине оставалось только шесть человек. Теперь уже даже скептики не могли сомневаться в успешном завершении операции.

Mission Accomplished

The very last night on the ice floe ws the most disturbing as more and more new cracks appeared. The ice cracked and crunched menacingly. On 13 April, Kamanin, Vodopianov, and Molokov headed for the camp for the last time. Radio operator Krenkel sent the last radiogram from the ice floe:

Arctic Sea, Schmidt's Camp, 13 April 1.05

On 12 April, the evacuation of the Chelyuskinians and valuables on to the mainland was, for the most part, completed. We have just received a radiogram that three airplanes are coming to fetch us. We are making a smoke signal for the last time and cease our radio communication. In half an hour, radio operator Krenkel, Captain Voronin, and I will be the last to leave Schmidt's Camp. On the tower the Soviet flag will remain raised.
Acting Expedition Chief Alexei Bobrov

The Chelyuskinians' ordeal was almost ended.

Задача выполнена

Последняя ночь на льдине была самой страшной, так как появлялось все больше и больше новых трещин. Лед разламывался. 13 апреля Н. П. Каманин, М. В. Водопьянов и В. С. Молоков прилетели на льдину в последний раз. Радист Э. Т. Кренкель послал со льдины последнее сообщение:

Северный Ледовитый океан, лагерь Шмидта, 13 апреля 1:05

12 апреля в основном завершена эвакуация на материк большей части челюскинцев и имущества. Мы только что получили радиограмму о том, что три самолета вылетели, чтобы забрать нас. Мы в последний раз подаем дымовой сигнал и прекращаем радиопередачи. Через полчаса радиооператор Кренкель, капитан Воронин и я будем последними покидать лагерь Шмидта. Советский флаг остается поднятым.

И.О. начальника экспедиции
Алексей Бобров

Тяжелые испытания челюскинцев были близки к концу.

The last entry of the log-book said:

At 12.25 Bobrov, Krenkel, and Voronin abandoned the camp. A ref flag is fixed on a long pole near the victuals depot. On the tower, 48 feet above the ice, there is another one, and the third flag is near the navigator's tent, also on a high pole. At 1.06 p.m. all three airplanes rose in the air, and dipped their wings as a farewell salute. The camp is deserted. No airplanes will come here any more. All the people have been rescued. At 13.35 the three airplanes arrived at Vankarem. All the passengers of the Chelyuskin are on the shore. That is how the navigation is ended.

Captain Voronin

Последняя запись в бортовом журнале:

В 12:25 Бобров, Кренкель и Воронин покинули лагерь. Красные флаги установлены: на длинном флагштоке возле склада с продовольствием, на вышке в 48 футах над землей и возле штурманского тента, а также на длинном шесте. В 13:06 все три самолета поднялись в воздух и покачали крыльями на прощанье. Лагерь пуст. Полеты прекращены. Все люди спасены. В 13:35 три самолета прибыли в Ванкарем. Все пассажиры «Челюскина» на берегу. Плавание закончено.

Капитан Воронин

An historic scene at Vankarem, with three Polikarpov R-5s, the Shavrov Sh-2, and the rear end of one of the Junkers-F 13s.
Историческая сцена в Ванкареме, на которой видно три «Поликарпова Р-5», «Шавров Ш-2» и хвост «Юнкерса Ф13».

Last sight of the Schmidt ice-camp
Последний взгляд на лагерь Шмидта.

Dr. Ernst Krenkel

Д-р. Эрнст Кренкель

By the early 1930s, radio communication and broadcasting was well advanced in the Soviet Union. Krenkel already had much experience with the special characteristics of radio in the Arctic region and had worked with Dr. Schmidt before. Radio was the vital link between the *Chelyuskin* and the world that it had left behind. Thanks to his constant radio contact with Moscow, either direct, or through Ludmilla Schrader at the station at Uelen, the stranded expedition was never alone.

In honor of his efforts, the radio call sign of the *Chelyuskin*, RAEM, was later awarded to Krenkel's own amateur radio station. He served as the first chairman of the Russian Radio Sport Federation, and a special RAEM operating award is available to radio amateurs who establish contacts with Arctic Circle stations.

В начале 30-х годов в Советском Союзе была хорошо развита радиосвязь и радиовещание. Э. Т. Кренкель имел большой опыт работы со специальными радиостанциями в северном регионе и ранее уже работал с О. Ю. Шмидтом. Радио было живой нитью между «Челюскиным» и остальным миром. Благодаря постоянной радиосвязи с Москвой, как напрямую, так и через Людмилу Шредер на станции Уэлен, экспедиция никогда не оставалась в одиночестве.

Позже в знак признания он был награжден радиопозывным «Челюскина» - RAEM - для свой собственной любительской радиостанции. Он стал первым председателем Российской федерации радиоспорта. Специальная награда – RAEM - присуждалась радиолюбителям, которые устанавливали контакт со станциями за Полярным кругом.

Dr. Ernst Krenkel
Эрнст Кренкель

The radio station at the ice-camp. Radio operators E. T. Krenkel (right) and S. A. Ivanov.
Радиостанция в ледяном лагере. Радисты Э. Т. Кренкель (справа) и С. А. Иванов.

Ludmila Schrader was the first to hear the radio call signal of the Chelyuskin: RAEM. She kept a 24-hour watch at Uelen to maintain radio communication.
Людмила Шредер первой услышала позывной «Челюскина»: RAEM. Она дежурила на Уэлене круглосуточно, и вся связь с экспедицией шла через нее.

Well-Earned Recognition
Заслуженное признание

Praise from Moscow

When all the Chelyuskinians had been evacuated, Kuibyshev's committee was able to report to the government and the C.P.S.U. Central Committee, to declare, with pardonable pride, that the rescue operation had been a complete success. The *Pravda* newspaper commented in glowing terms of a brilliant victory by the Soviet airmen in "the great war against the Arctic Sea," and praised the speed and ability with which the airplanes and airmen had been deployed. The Central Committee praised the flyers' heroism, and extolled their efforts to defend the Motherland - in this case, the defence against Nature rather than other enemies.

Похвалы из Москвы

Когда все челюскинцы были эвакуированы, комиссия В.В. Куйбышева смогла с гордостью сообщить Советскому правительству и ЦК КПСС о том, что спасательная операция успешно завершилась. Газета «Правда» в самом возвышенном стиле писала о блестящей победе советских летчиков в «великой битве с Ледовитым океаном», хвалила быстроту и эффективность действий самолетов и летчиков. Центральный Комитет восхищался героизмом пилотов и хвалил их усилия по защите Родины - в данном случае не от врагов, а от Природы.

Hero Status

On 20 April, the U.S.S.R. Central Executive Committee conferred on the pilots the title of Hero of the Soviet Union. They were the first recipients of this new title, and were also decorated with the Order of Lenin. They were also paid a monetary bonus equivalent to a year's salary. This honorary title was conferred on A.V. Lyapidevsky, S.A. Levanevsky, V.S .Molokov, N.P. Kamanin, M.T. Slepnev, M.V. Vodopianov, and I.V. Doronin. At the same time, the Order of Lenin was awarded to the pilots and crew members, mechanics and technicians, including the two American mechanics who had made flights with Levanevsky and Slepnev.

Звание героев

20 апреля ВЦИК присвоил пилотам звания Героев Советского Союза. Они были первыми, кто получил это новое звание. Они были награждены Орденом Ленина и денежной премией в размере годового жалования. Почетные звания Героев были присвоены А. В. Ляпидевскому, С. А. Леваневскому, В. С. Моло-

кову, Н. П. Каманину, М. Т. Слепневу, М. В. Водопьянову и И. Н. Доронину. Орденом Ленина были награждены другие пилоты и члены команды, механики и техники, включая двух американских механиков, которые прилетели с С. А. Леваневским и М. Т. Слепневым.

Badges of Honour

All the 104 Chelyuskinians (and G.A. Ushakov and G.G. Petrov also), together with the pilots whose valiant efforts were defeated by weather and technical problems (V.L. Galyshev, B.A. Pivenstein, B.V. Bastanshiev, and I.V. Demirov) received the Order of the Red Star and were paid an extraordinary grant equivalent to half their annual salaries. And a monument was to be erected in Moscow in their honour (which unfortunately never happened).

The citation read:

> *For exceptional courage, staunchness, and discipline, shown by the group of polar explorers amidst the ice of the Arctic Sea at the moment and after the wreck of the Chelyuskin, that ensured the safety of the people's lives, security of scientific materials and the expedition's belongings, and that arranged all the necessary conditions for their rescue and for rendering them help.*

Почести

Все 104 челюскинца (а также Г. А. Ушаков и Г. Г. Петров) вместе с пилотами, которым помешала погода или технические неполадки (В. И. Галышев, Б. А. Пивенштейн, Б. В. Бастанжиев и И. Н. Демиров), получили Орден Красной Звезды и денежную награду в размере половины годовой зарплаты. В честь храбрости всех участников эпопеи в Москве решено было поставить памятник (это решение так и не было осуществлено). Из постановления о награждении:

> *За выдающееся мужество, смелость и дисциплину, проявленные группой полярных исследователей во льдах Северного Ледовитого океана до и после крушения «Челюскина», благодаря которым была обеспечена безопасность человеческих жизней, сохранение имущества и материалов экспедиции.*

No-One Forgotten

Some time later, the Order of the Red Star was also given to the *Krasin* ice-breaker expedition chief P.I. Smirnov, to Captain P.A. Ponomarev, to the N-4 airplane commander F.K. Kukanov, and to the *Smolensk* ship's Captain Vasily Vaga.

The Order of the Red Banner of Labour was given to the Uelen polar station chief N.N. Khvorostiansky, and to radio operator Shrader. Diplomas were given to all the mechanics and technicians who had taken part, in one way or another, in the *Chelyuskin* rescue. In total, 200 people received awards, testifying to the exceptional significance that the Party Committee and Soviet Government attached to this remarkable episode in the annals of Arctic exploration.

Никто не забыт

Несколько позже Орден Красной Звезды был также вручен начальнику экспедиции ледокола «Красин» П. И. Смирнову, капитану П. А. Пономареву, командиру самолета «АН-4» Е. К. Куканову и капитану корабля «Смоленск» Василию Ваге.

Орден Трудового Красного Знамени получили начальник полярной станции Уэлена Н. Н. Хворостянский и радистка Л. Шредер. Все механики и техники, которые, так или иначе, принимали участие в спасении «Челюскина», получили грамоты. Всего награды получили 200 человек, что говорит о большом значении, которое Коммунистическая партия придавала этому замечательному эпизоду в истории арктических исследований.

Dogs, sleds, and gasoline at Vankarem (Salnikov photograph)
Собаки, нарты и горючее на Ванкареме (фото предоставлено Сальниковым)

They Also Served

Они тоже участвовали

Piotr Byko *was the commander of the Wrangle island contingent of the* Chelyuskin *Expedition. His relief party could not reach the island.*

Петр Буйко *был назначен начальником полярной станции острова Врангеля в экспедиции «Челюскина». Его команда так и не достигла острова.*

Ibrahim Fakidov, *photographed here with ice on his beard, was the last of the 104 survivors of the ice-camp to die, in February 2002, at Ekaterinburg.*

Ибрагим Факидов, *на снимке с обледеневшей бородой, был последним из Челюскинцев, дожившим до наших дней. Он умер в Екатеринбурге в феврале 2002 года.*

Alaksandra Gorskaya *was the stewardess on the* Chelyuskin *and the only one to have followed her vocation as an ice-camp stewardess.*

Александра Горская – *стюардесса на «Челюскине» продолжала выполнять свою работу в ледовом лагере.*

Olga Komova *was one of the meteorologists in the scientific contingent aboard the* Chelyuskin. *She kept up her observations until the very end.*

Ольга Комова *была одним из метеорологов в составе экспедиции «Челюскина». Она продолжала свои наблюдения до самого конца экспедиции.*

Mikhail Markov, *Second Mate of the Chelyuskin. Later he became a famous ice captain.*

Михаил Марков *второй помощник капитана на «Челюскине». В последствии стал известным «ледовым» капитаном.*

Feodor Reshetnikov, *the ship's artist whose paintings are reproduced in this book, waves goodbye to his comrades as he leaves on the Polikarpov R-5.*

Федор Решетников *художник корабля, чьи репродукции приведены в этой книге. Машет на прощанье своим товарищам, улетая на «Поликарпове Р-5».*

This un-identified stalwart was one of the local Chukchis who carried the Chelyuskin *survivors by dog-sled from Vankarem to Uelen and Provideniya.*

Неизвестный храбрец из местных чукчей, который перевез пассажиров «Челюскина» на собачьей упряжке из Ванкарема в Уэлен и Провидение.

Some of the heroes of the Chelyuskin *rescue were of the four-legged kind. They pulled the sleds great distances where there were no roads.*

Среди героев-спасателей экспедиции «Челюскина» были и собаки, которые тащили нарты на большие расстояния по бездорожью.

73

Homeward Bound

After the evacuation of the Schmidt camp, the next task was to take the Chelyuskinians back home as quickly as possible. The journey would involve a journey first to Vladivostok and then, via the Trans-Siberian Railway, to Moscow. The *Smolensk* and the *Stalingrad* ships, anchored near the Olotursk cannery, set out for Provideniya and Lawrence Gulf, escorted by the *Krasin* ice-breaker, now repaired.

Under its guidance the *Stalingrad* (Captain P.V. Sednev) arrived at Uelen on 21 May, the first time when navigation of the Bering Strait had been achieved so early in the year. In Provideniya and the Lawrence Gulf, the *Smolensk* (Captain V. Vaga) took all the Chelyuskinians, the airplanes, and the remaining equipment on board. All the ships then headed for Kamchatka.

On 30 May, the *Smolensk* arrived at Petropavlovsk-Kamchatka, where the Chelyuskinians were warmly welcomed. Some of the streets were renamed in their honour. At Vladivostok, the welcome was impressively organized. An air squadron flew low over the ships, which were escorted into the harbour by warships and launches. A crowd of several thousand waited at the sea front, where A.N. Bobrov, on behalf of the entire Expedition, made an appropriate speech.

Путь домой

После эвакуации лагеря следующей задачей стало скорейшее возвращение челюскинцев домой. Их путь лежал сначала до Владивостока и затем по Транссибирской магистрали в Москву. Корабли «Смоленск» и «Сталинград», стоящие на якоре возле Олюторского рыбо-консервного завода, покинули Провидение и залив Лаврентия в сопровождении отремонтированного ледокола «Красин».

«Сталинград» (капитан П. В. Седнев) прибыл в Уэлен 21 мая. Это был первый случай открытия навигации в Беринговом проливе так рано. В Провидении и заливе Св. Лаврентия «Смоленск»(капитан В. Вага) забрал на борт всех челюскинцев, самолеты и оставшееся оборудование. Затем все корабли направились на Камчатку.

30 мая «Смоленск» прибыл в Петропавловск-Камчатский, где челюскинцев ожидала теплая встреча. В их честь было переименовано несколько улиц. Во Владивостоке также была организована торжественная встреча. В воздухе низко над кораблями летали самолеты, на воде был почетный эскорт из военных кораблей и катеров. Толпа в несколько тысяч человек стояла на берегу, когда А. Н. Бобров от имени всей экспедиции говорил приветственную речь.

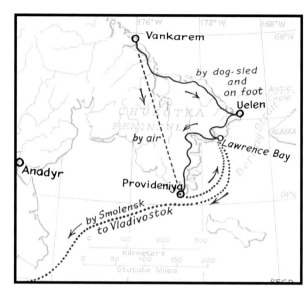

Even when on firm ground at Vankarem, the Chelyuskinians' journey home was far from over. Ships could not yet reach them through the same pack-ice that had caused the disaster more than five months earlier. They had to make their way to the ice-free harbor at Provideniya. The weaker members of the 104 survivors were taken directly by air. Others went by dog-sled. But the dogs, which had worked hard at the Schmidt ice-camp, taking people and possessions from the camp to the improvised airstrips were also almost exhausted. Consequently, the strongest members undertook to trudge all the way along the bleak coast, arriving eventually at Lawrence Bay, where they boarded the Smolensk.

Даже на твердой земле Ванкарема долгая дорога челюскинцев домой была далеко не закончена. Корабли не могли пробиться к ним через тот же самый торосистый лед, который послужил причиной трагедии 5 месяцами ранее. Судам приходилось идти через свободную ото льда гавань Провидения. Самые ослабленные из 104 участников экспедиции были переправлены по воздуху. Другие поехали на собаках. Однако животные, которые отдавали все силы в лагере Шмидта, вывозя людей и имущество со льдины на расчищенные аэродромы, были тоже совершенно измождены. В результате самые сильные участники предприняли изнурительное пешее путешествие вдоль пустынного побережья и прибыли, наконец, в залив Лаврентия, где их ожидал «Смоленск».

The Smolensk *and the* Stalingrad *in the Lawrence Gulf*
«Смоленск» и «Сталинград» в заливе Св. Лаврентия

The Smolensk *carries the Chelyuskinians to Vladivostok.*
«Смоленск» везет челюскинцев во Владивосток.

Official (and Unofficial) Welcomes
Официальные
(и неофициальные)
чествования

The Chelyuskinians' journey on the Trans-Siberian Railway, all the way from Vladivostok to Moscow, was a continuous triumph. Crowds gathered wherever the train stopped, and the Chelyuskinians and the pilots made appropriate speeches. Finally, on 19 June 1934, at the Byelo-Russia Station, they were welcomed by O.J. Schmidt, now recovered from his illness and G. A. Ushakov, who had returned from the U.S.A. to Moscow, via Alaska and the United States, some time before. As illustrated elsewhere on this page, the welcome was subsequently top-level.

Путешествие челюскинцев по Транссибирской магистрали на всем его протяжении от Владивостока до Москвы было непрекращающимся триумфом. Где бы не останавливался поезд, везде собирались толпы народа, и пилоты и челюскинцы произносили приветственные речи. Наконец, 19 июня 1934 г., на Белорусском вокзале их встретил О. Ю. Шмидт, который поправился и вернулся вместе с Г. А. Ушаковым из США в Москву через Аляску несколько ранее. На снимках видно, что их приветствовали на самом высоком уровне.

(Above) The seven pilots who rescued the 104 survivors of the ice-camp:(Top) Vasily Molokov; (Center, left to right) Mavriki Slepnev, Mikhail Vodopianov, Nikolai Kamanin; (Front Row, left to right) Sigismund Levanevsky, Anatoli Lyapidevsky, Ivan Doronin. (Picture taken at Khabarovsk)

(Выше) Семеро пилотов, которые спасали 104 потерпевших со льдины: (Вверху) Василий Молоков, (в центре слева направо) Маврикий Слепнев, Михаил Водопьянов, Николай Каманин, (в нижнем ряду, слева направо) Сигизмунд Леваневский, Анатолий Ляпидевский, Иван Доронин (фото сделано в Хабаровске).

(Left) This was a typical scene, one of several dozen, along the Trans Siberian Railway, as the Chelyuskinians passed through the wayside stations en route to their trimphal return to Moscow.

(Слева) Типичная картина, наблюдавшаяся на каждой станции вдоль всей Транссибирской магистрали, когда мимо проезжали челюскинцы на пути в Москву.

At the Byelo-Russia Station in Moscow, the heroes are engulfed by the cheering crowd, while Comrade Lenin waves from his pedestal.

Белорусский вокзал в Москве: герои окружены радостной толпой, а мраморный товарищ Ленин машет им с пьедестала

Members of the Soviet Government in Red Square in Moscow. From left to right: M. I. Kalinin, I. V. Stalin, K. E. Voroshilov and V. V. Kuibyshev., who headed the rescue organization

Члены Советского правительства на Красной площади в Москве. Слева направо: М.И. Калинин, И.В. Сталин, К. Е. Ворошилов и В.В. Куйбышевым, который руководил спасательной операцией.

75

The Big Parade Большой парад

Kamanin, Schmidt, and Kuibyshev
Н. П. Каманин, О. Ю. Шмидт и В. В. Куйбышев

The parade in Gorky Street
Парад на улице Горького

Parade in honour of the Cheluskinians and the heroes-aviators in Red Square
Парад в честь челюскинцев и первых Героев-летчиков на Красной площади

So, in June 1934, almost a year after the Chelyuskians had left Murmansk, they enjoyed a great homecoming parade in Moscow. In a convoy of cars decked with garlands of flowers, they were escorted by senior members of the government, and tens of thousands of Muskovites lined the streets. The memorable day ended with a dinner party in the Georgian Hall of the Kremlin. (Painting by Reshetnikov)

В июле 1934 года почти через год после того, как челюскинцы впервые вышли из Мурманска, они оказались на большом праздничном параде в Москве. Они ехали на машинах, украшенных гирляндами и цветами, сопровождаемые видными членами правительства, в то время как десятки тысяч москвичей приветствовали их на улицах. Памятный день закончился банкетом в Георгиевском зале Кремля. (Картина Ф. П. Решетникова).

Honours and Celebrations   # Награды и торжества

Mikhail Vodopianov receives the Order of Lenin from the Chairman of the Supreme Soviet, Kalinin.

Михаил Водопьянов получает Орден Ленина от председателя Верховного Совета Калинина

Now proudly wearing his medals, Mikhail is acclaimed at a different level, but no less gratifying.

С гордостью надев ордена, Михаил беседует с молодым поколением.

Anatoli Lyapidevsky (center), with Kamanin (left) and cameraman Arkady Shafran (right), enjoying the great occasion.

Анатолий Ляпидевский (в центре) с Николаем Каманиным (слева) и оператором Аркадием Шафраном (справа) после награждения.

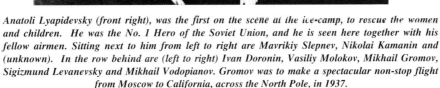

Possibly overawed, four of the heroic pilots register the seriousness of the unprecedented honours bestowed upon them. Left to right: Mavriki Slepnev, Mikhail Vodopianov, Ivan Doronin, and Anatoli Lyapidevsky.

Волнительный момент для четырех пилотов-героев, удостоившихся высочайшей награды Родины. Слева направо: Маврикий Слепнев, Михаил Водопьянов, Иван Доронин и Анатолий Ляпидевский.

Anatoli Lyapidevsky (front right), was the first on the scene at the ice-camp, to rescue the women and children. He was the No. 1 Hero of the Soviet Union, and he is seen here together with his fellow airmen. Sitting next to him from left to right are Mavrikiy Slepnev, Nikolai Kamanin and (unknown). In the row behind are (left to right) Ivan Doronin, Vasiliy Molokov, Mikhail Gromov, Sigizmund Levanevsky and Mikhail Vodopianov. Gromov was to make a spectacular non-stop flight from Moscow to California, across the North Pole, in 1937.

Анатолий Ляпидевский (сидит первый справа) первым прилетел на льдину и спас женщин и детей. Он стал Героем Советского Союза №1. На снимке он вместе с другими пилотами. Рядом с ним сидят (слева направо) Маврикий Слепнев, Николай Каманин, (неизвестный). В верхнем ряду (слева направо) Иван Доронин, Василий Молоков, Михаил Громов, Сигизмунд Леваневский и Михаил Водопьянов. В 1937 году Громов совершит великолепный беспосадочный перелет из Москвы в Калифорнию через Северный полюс.

(left to right) G.A. Ushakov, who was sent from Moscow with Levanevsky and Slepnev to oversee the rescue operation, American mechanic Clyde Armistead, (unknown), and Bill Lavery. They too received the Order of Lenin.

Слева направо: Г. А. Ушаков, который был послан из Москвы с С. А. Леваневским и М. Т. Слепневым для руководства заграничной спасательной операцией, американские механики Клайд Армистед, (неизвестный) и Билл Лавери. Они тоже получили Ордена Ленина.

Molokov Goes Home   # Молоков возвращается домой

The aviator heroes of the *Chelyuskin* rescue were honored in many ways. In contrast to the pomp and ceremony in Moscow, Vasily Molokov, for example, was welcomed back to his home village and among his home surroundings. Contrasting with the parade in Moscow, which was more like a New York ticker-tape affair, this was rather like the traditonal "yellow-ribbon" family affair for a returning hero in the United States.

Пилотов-героев спасителей челюскинцев приветствовали по-разному. Кроме помпезных церемоний в Москве, Василий Молоков, например, отпраздновал это событие также и в кругу родных. Если парад в Москве больше походил на торжественное шествие Тикер-тейп в Нью-Йорке в честь национальных героев, то это было просто семейное торжество, как всегда бывает в деревне когда сын возвращается домой.

Vasily receives his honor from Kalinin
Василий получает награду из рук Калинина

The village's decorations were not as elaborate as Moscow's but nonetheless at least as heartwarming.

Деревенские украшения были не такие изысканные как в Москве, но от этого не менее торжественные.

In Russia, there is always an excuse for a party, and Vasily Molokov's homecoming was no exception.
Конечно, в России на праздники всегда накрывают стол, и застолье у Молоковых не было исключением.

In his later years, Vasily became a colonel and then a general in the Soviet Air Force.
Позже Василий получил звание полковника, а затем генерала Советских ВВС.

Grand Tour Completed   Завершение великого маршрута

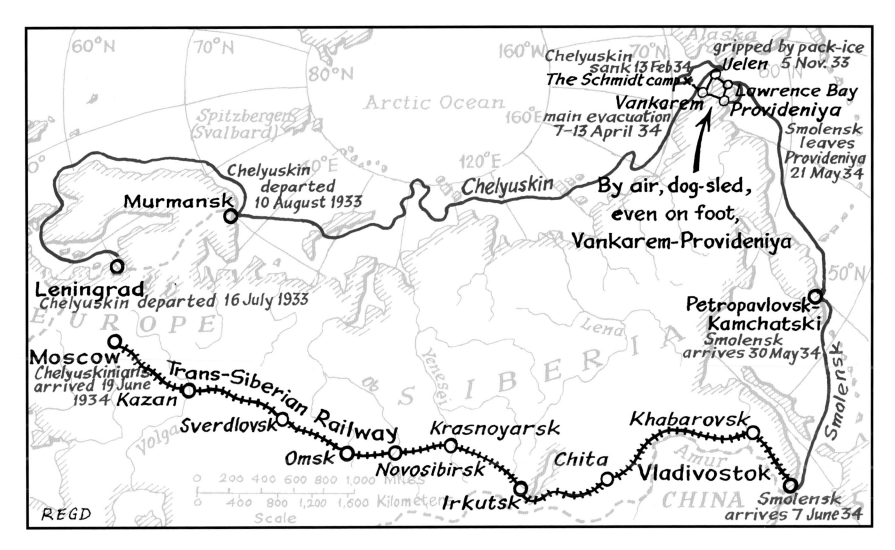

The Chelyuskinians' journey involved almost every form of transport, short of horse-drawn stage coaches. Their long sea journey in the *Chelyuskin* was followed by the dramatic rescue by air. They then reached the *Smolensk* by air, by dog-sled, and even on foot (see map on page 74). The ship took them to Vladivostok, terminus of the Trans-Siberian Railway, which, by special train, carried them back to Moscow. Their last vehicles were the cars which carried them in the triumphal "victory" parade. The adventurous journey had lasted only a few weeks short of a whole year.

В походе челюскинцев были задействованы почти все виды транспорта, за исключением гужевого. Длительное путешествие по морю завершилось драматическим спасением с воздуха. Затем они добирались до «Смоленска» на самолетах, собачьих упряжках и даже пешком (см. карту на стр. 74). Корабль доставил их во Владивосток, конечный пункт Транссибирской магистрали, по которой на специальном поезде они добрались до Москвы. На торжественный парад в честь их возвращения они приехали на легковых автомобилях. Полное приключений путешествие длилось год без нескольких недель.

Reunion at Provideniya
Памятная встреча в Провидении

In 1984, to celebrate the fiftieth anniversary of their historic voyage, the surviving Chelyuskinians paid a nostalgic visit to the Chukotka region, the place that had been a vital element of their salvation. They had, fifty years previously, gathered at the port of Provideniya, arriving from Vankarem by air, by dog-sled, and even on foot (see page 74). On this occasion, the transport was faster, the party arriving on two sturdy Antonov An-2 planes from Anadyr.

One thing had not changed: the climate. Although the sun shone for them, the temperatures were sub-zero, and, as these picture show, not a single one was bare-headed or wearing unbuttoned coat.

В 1984 году челюскинцы отметили 50-ую годовщину окончания путешествия, организовав памятную встречу на Чукотке в городке, который стал местом их спасения. За 50 лет до этой встречи все они собрались в порту Провидения, прибыв туда по воздуху, на собаках и даже пешком (см. стр. 74). На памятную встречу они прибыли гораздо быстрее: на двух надежных самолетах «АН-2» прямо из Анадыря.

Климат с тех пор совсем не изменился. И хотя сияло солнце, мороз крепчал, и, как видно на фотографиях, все были в меховых шапках и теплых одеждах.

Two of the Chelyuskinians being interviewed at Provideniya. Anna Sushkina, the Chelyuskin's biologist, is on the left. (photo, courtesy Salnikov)

Двое Челюскинцев дают интервью в Провидении. Слева Анна Сушкина, биолог «Челюскина» (фото любезно предоставлено Ю. П. Сальниковым).

The historic gathering at Provideniya in 1984 (photo by Zhuravsky)
Историческая встреча в Провидении в 1984 г. (фото Журавского)

A happy moment at Provideniya. Aleksander Pogosov (center) is welcomed by young admirers as he strolls to the reunion group. (photo courtesy Salnikov)

Приятный эпизод встречи в Провидении: Александр Погосов (в центре) в окружении восторженно встречающих его детей идет на встречу (фото любезно предоставлено Ю. П. Сальниковым).

Celebrations 50 years later   Торжество через 50 лет

In 1934, Anadyr was an isolated settlement. In 1984, now a flourishing city, it welcomed Karina Vasilieva (left), born in the *Chelyuskin* while crossing the Kara Sea in 1933 (see page 26). Her mother, Dorothea, is on the right, and Anna Syshkina is between them. (photo courtesy Salnikov)

The Chelyuskin's scientific contingents' biologist, Anna Syshkina, shares some memories with her fellow Chelyuskinians at Anadyr. Aleksander Pogosov is partly hidden on her right. Gribakin, Kamanin's mechanic, is on the right. (photo courtesy Salnikov)

В 1934 году Анадырь был одиноким селением. В 1984 он стал процветающим городом, который встречал Карину Васильеву (слева), родившуюся на «Челюскине» в 1933 г. во время прохождения Карского моря (см. стр. 26). Ее мать Доротея Васильева на снимке справа, между ними Анна Сушкина (фото любезно предоставлено Ю. П. Сальниковым).

Анна Сушкина, биолог, член группы ученых «Челюскина» делится воспоминаниями с другими челюскинцами в Анадыре. Слева от нее Александр Погосов (лицо частично закрыто), справа механик Н. П. Каманина Грибакин (фото любезно предоставлено Ю. П. Сальниковым).

Celebration event in Moscow in 1984. Mechanic Gribakin is on the right and biologist Belopolsky is on the left. (photo courtesy Salnikov)

Three veteran Chelyuskinians together again. From left to right: Gribakin, Belopolsky and Pogosov.

Co-author and television producer Yuri Salnikov reminisces with Fakidov. (Photo Igor Tabakova)

Праздничная встреча в Москве в 1984 г. Механик Грибакин на снимке справа, биолог Л. О. Белопольский – слева. (фото любезно предоставлено Ю. П. Сальниковым).

Три ветерана челюскинца снова вместе. Слева направо: Грибакин, Белопольский, Погосов.

Соавтор книги продюсер телевидения Юрий Сальников беседует с И. Г. Факидовым (фото Игоря Табакова).

Veteran Airmen Meet Again   Встреча с летчиками-ветеранами

In 1974, film-maker Yuri Salnikov gathered together (with his film crew) a notable trio of veteran airmen who had played such an important part in the rescue of the ship-wrecked Chelyuskinians. Being interviewed by writer Vladimir Karpov are (left to right) Nicolai Kamanin (now a general); the great pioneer of Siberian air routes, Vasili Molokov; and Anatoli Lyapidevsky, first one to reach the ice-camp, and who brought back the women and children. (Salnikov photograph)

В 1974 году режиссер Юрий Сальников собрал вместе знаменитое трио летчиков-ветеранов, которые сыграли столь значительную роль в спасении потерпевших крушение челюскинцев (группа создателей фильма также присутствовала на встрече). На снимке отвечают на вопросы писателя Владимира Карпова (слева направо) Николай Каманин (ставший генералом); известный пионер-исследователь Сибирских воздушных путей Василий Молоков и Анатолий Ляпидевский, который первым долетел до ледового лагеря и эвакуировал женщин и детей (фото Ю. П. Сальникова).

The Accolade

The Chelyuskians had undergone much testing of their stamina and their determination to overcome their predicament had involved considerable hardship. They had their just reward, from the highest political level of the Soviet Union. Two telegrams were dispatched from Moscow. The first was historic:

To: LYAPIDEVSKY, LEVANEVSKY, MOLOKOV, KAMANIN, SLEPNEV, Vodioponov, DORONIN, at Vankarem and Uelen.

Delighted with your heroic work in rescuing the *Chelyuskin* expedition. We are proud of your victory over the powers of the elements. We are glad that you have justified the greatest hopes of our country and proved yourselves worthy sons of our great fatherland.

We are asking the Central Executive Committee of the U.S.S.R. to establish a higher distinction to be conferred on anyone performing a deed of heroism. We propose to create the title "Hero of the Soviet Union.,"

We are requesting that the title of "Hero of the Soviet Union" to be conferred on the airmen Lyapidevsky, Levanevsky, Molokov, Kamanin, Slepnev, Vodioponov, and Doronin, who took direct part in saving the members of the *Chelyuskin* expedition.

We are also asking the Central Executive Committee to confer the "Order of Lenin" on the above-named airmen and the mechanics who accompanied them, and also to reward them with one year's salary.

I. STALIN, V. MOLOTOV, K. VOROSHILOV, V. KUIBYSHEV, A. ZHDANOV

The term "historic" is apt. There were to be many more heroes of the Soviet Union; but these were the first.

The second telegram, with the same signatures, conferred the Order of the Red Star to all the members of the expedition, and also to Ushakov and Petrov. These were rewarded with six months' salary.

Additionally, instructions were given to erect a monument to the *Chelyuskin* in Moscow.

Почести

Челюскинцы прошли много испытаний, им потребовалось много силы и упорства в преодолении выпавших на их долю трудностей. Их усилия были по достоинству оценены на самом высоком политическом уровне Советского государства. Они получили две приветственные телеграммы из Москвы. Первая из них имела историческое значение.

ЛЯПИДЕВСКОМУ, ЛЕВАНЕВСКОМУ, МОЛОКОВУ, КАМАНИНУ, СЛЕПНЕВУ, ВОДОПЬЯНОВУ, ДОРОНИНУ в Ванкарем и Уэлен.

Восхищены вашей героической работой по спасению экспедиции «Челюскина». Мы гордимся вашей победой над силами стихии. Мы рады, что вы оправдали величайшие надежды нашей страны и доказали, что вы - достойные сыны нашего великого Отечества.

Мы просим Центральный Исполнительный Комитет СССР установить высочайшее звание, которое будет присваиваться тем, кто совершит героические поступки. Мы предлагаем ввести звание «Героя Советского Союза».

Мы просим, чтобы звание Героев Советского Союза было присвоено летчикам Ляпидовскому, Леваневскому, Молокову, Каманину, Слепневу, Водопьянову и Доронину, которые принимали непосредственное участие в спасении членов экспедиции «Челюскина».

Мы также просим Центральный Исполнительный Комитет наградить Орденом Ленина вышеназванных летчиков и сопровождавших их механиков, а также поощрить их в размере годовой зарплаты.

И. СТАЛИН, В. МОЛОТОВ, К. ВОРОШИЛОВ. В. КУЙБЫШЕВ, А. ЖДАНОВ

Слово «историческое» действительно уместно. Позже многие стали героями Советского Союза, но эти были первыми.

Вторая телеграмма за теми же подписями сообщала о награждении Орденом Красной Звезды всех членов экспедиции, а также Г. А. Ушакова и Г. Г. Петрова. Всех их поощрили полугодовой зарплатой.

Кроме этого, было решено поставить памятник «Челюскину» в Москве.

Epilogue

Эпилог

The Chukotka environment has undergone a complete transformation since the early 1930's, when the harsh terrain was inhabited only by sturdy and resilient Chukchi and Eskimo people, living in small communities and with the dog-sled as the main mode of transport. There were no roads, no shipping routes, air transport was non-existent, and the nearest railroad was thousands of miles away. Agriculture was minimal and there was no industry. Existence was limited to basic survival.

Today, as elsewhere throughout the vast area of Siberia, priceless mineral riches have been discovered, identified and mined in Chukotka, to contribute to the economy of, first, the Soviet Union, now Russia. This distant outpost is no longer as isolated as it was when the *Chelyuskin* battled its way through the Arctic ice. There are productive mines, and roads have diminished the need for the dog-teams. Aeroflot built a local network of air routes. And powerful ice-breakers have made the Northern Sea Route a reality.

С начала 30-х годов условия проживания на Чукотке коренным образом изменились. Раньше эта суровая земля была редко населена только выносливыми чукчами и эскимосами, которые жили маленькими группами и перемещались, в основном, на собачьих упряжках. Не было ни дорог, ни морских путей, воздушное сообщение отсутствовало, а ближайшая железная дорога была на расстоянии нескольких тысяч миль. Сельское хозяйство велось в минимальном объеме, промышленности не было. Жизнь сводилась к борьбе за существование.

Сегодня на Чукотке, как и на всей огромной территории Сибири, идет разработка богатейших месторождений полезных ископаемых, которые были здесь обнаружены. Они сыграли большую роль в экономике Советского Союза и ныне важны современной России. Эта удаленная земля теперь совсем не похожа на ту, какой она была, когда «Челюскин» пробивался через Арктические льды. Работают рудники, построены автомобильные дороги, которые стали альтернативой собачьим упряжкам. Самолеты Аэрофлота летают по многочисленным маршрутам региона, а мощные ледоколы свободно проходят по Северному Морскому Пути.

The early ice-breakers that were unable to help the Chelyuskin in the early 1930's have long been superseded by modern ships that can break through every ice barricade that the Arctic Ocean can devise. This powerful nuclear-powered ice-breaker, Lenin, went into Arctic service in 1959. Today, even larger vessels of similar size and greater power such as the Yamal, can even take international tour groups to the North Pole.

На смену старым ледоколам, которые не смогли помочь «Челюскину» в 30-е годы, давным-давно пришли современные суда, могущие пройти через любые ледяные торосы, которые встречаются в Северном Ледовитом океане. Этот мощный атомные ледокол «Ленин» находился на службе в Арктике с 1959 года. Сегодня большие и еще более мощные ледоколы, такие как «Ямал», могут доставить на Северный полюс даже группы туристов.

(Left) This photograph, taken near Egvekinot, illustrates the transformation of the Chukotka region. Trucks are bringing gold ore from the mines to the nearest port. The signpost points to Egvekinot (30 kilometers), Cape Schmidt (300 kilometers), and even—optimistically—the North Pole (3,340 kilometers).

Этот снимок, сделанный в районе Эгвекинота, демонстрирует изменения в Чукотском регионе. Грузовики перевозят золотую руду из рудников до ближайшего порта. Стрелки на столбе показывают расстояние до Эгвекинота (23 км), мыса Шмидт (300 км) и даже до Северного полюса (3340 км).

The Northern Sea Route Today
Северный Морской Путь сегодня.

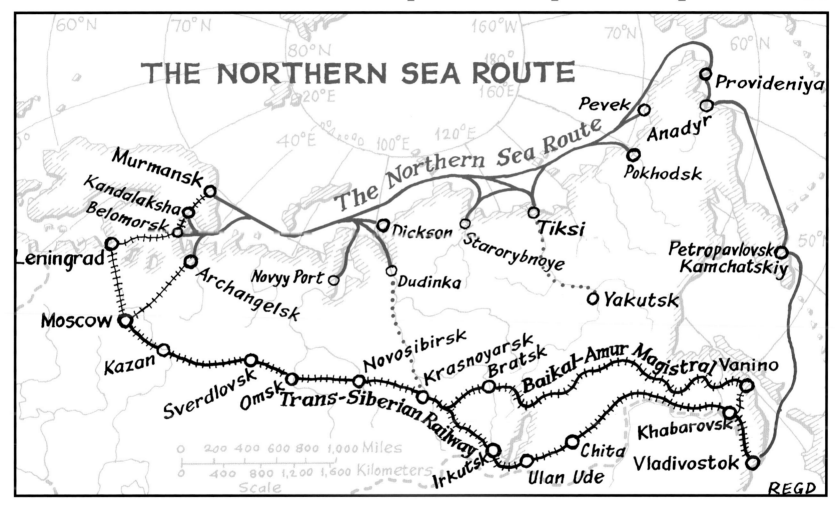

THE NORTHERN SEA ROUTE

Much has changed since the days of the Chelyuskin's brave voyage. Access to the vast expanses of Siberia was then only via the Trans-Siberian Railway. The population was sparse. Six largest cities each now have more than a million inhabitants. The Baikal-Amur Magistral (BAM) provides an alternative route to the Pacific Ocean. On the great Yenesei and Lena rivers, pleasure ships carry tourists during the ice-free summer months. The Northern Sea Route, protected by powerful ice-breakers, now links Atlantic and Pacific ports.

Многое изменилось со времени смелого путешествия «Челюскина». Раньше доступ к широким просторам Сибири осуществлялся только по Транссибирской магистрали. Население было малочисленное. Теперь же население шести самых крупных сибирских городов перевалило за миллион жителей. Байкало-Амурская магистраль (БАМ) обеспечивает дополнительный маршрут до Тихого океана. По великим рекам Лена и Енисей летом курсируют туристические суда. Благодаря мощным ледоколам, Северный Морской путь связывает порты Атлантического и Тихого океанов.

Roll of Honour

Почетный список

On 10 August 1933, 112 people set sail from Murmansk on in the good ship *Chelyuskin*. On the Kara Sea, Karina Vasilevska was born, making 113. Near Kolyuchina, on 3 October, a party of eight people were put ashore and carried on four dog-sleds to Uelen, where they arrived on 10 October. They were L.Mukhanov (expedition secretary), I.Selvinsky (poet and correspondent), M. Troyanovsky (cameraman), Prostyakov (weather forecaster), Stromilov (radio operator, telegrapher), Kolner (electrical engineer), Mironenko (the *Chelyuskin* doctor), and Danilkin (stoker). Thus, when the ship sank, 105 people were on board, but tragically the supplies manager, Boris Mogilevich, drowned when he slipped off the sinking vessel.

The following, therefore, is the *Chelyuskin* Roll of Honour, with their places and years of birth. Almost every one was well experienced in Arctic conditions, and for many, this was not their first encounter with the the frozen ocean.

10 августа 1933 года славный корабль «Челюскин» со 112 пассажирами на борту вышел из Мурманска. В Карском море родилась Карина Васильева, и их стало 113. Далее 3 октября в районе Колючино 8 членов экспедиции сошли на берег и отправились в Уэлен на четырех собачьих упряжках, они прибыли на место 10 октября. Это были: Л. Муханов (секретарь экспедиции), И. Сельвинский (поэт и журналист), М. Трояновский (оператор), Простянов (метеоролог), Стромилов (радист, телеграфист), Колнер (электрик), Мироненко (корабельный врач «Челюскина») и Данилкин (кочегар). Таким образом, когда корабль затонул, на борту находилось 105 человек. К несчастью, трагическая случайность оборвала жизнь завхоза Бориса Могилевича, который соскользнул с палубы тонущего корабля и утонул.

Ниже приводится почетный список участников экспедиции «Челюскина» с указанием места и года рождения. Практически каждый из них имел опыт выживания в условиях Арктики, и для многих это была далеко не первая встреча с ледовитым океаном.

Otto Julievitch Schmidt, leader of the scientific expedition.

Отто Юльевич Шмидт - руководитель научной экспедиции.

Youngest members of the Chelyuskinians: Alla Buyko, who sailed with her parents to go to Wrangel Island; and little Karina, who was born on the Kara Sea.

Самые младшие челюскинцы: Алла Буйко, которая отправлялась со своими родителями на остров Врангеля, и маленькая Карина, которая родилась в Карском море.

Alexei Bobrov, deputy leader of the expedition.

Алексей Бобров - заместитель начальника экспедиции.

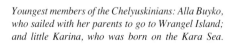

Bill Lavery, born in Fairbanks, Alaska, on 16 March 1914, was Levanevsky's mechanic on one of the Fleetsters that flew to Chukotka from Nome. He was honored with the award of the Order of Lenin, which in the 1930s was an example of respect during times of political mistrust. He later formed a small airline in Alaska.

Билл Лавери, род. 16 марта 1914 г. в Фэрбанксе на Аляске, был механиком на самолете «Флейтстер» С. А. Леваневского, который прилетел на Чукотку из Нома. Он удостоился награждения Орденом Ленина , что в 30-е годы, во времена политического недоверия было знаком уважения. Позже он открыл небольшую авиалинию на Аляске.

Clyde Armistead, seen here in front of a Fleetster with his pilot, Slepnev (on the left). In their comfortable Fleetster they brought back O.J. Schmidt who was very ill with pleurisy, all the way to the hospital at Fairbanks. With Bill Lavery, he was honoured with the award of the Order of Lenin. (photo courtesy: Rick Allen)

Клайд Армистид, на снимке около самолета «Флейтстер» с пилотом М. Т. Слепневым (слева). Их комфортабельный самолет доставил в больницу Фэрбанкса О. Ю. Шмидта, который серьезно заболел воспалением легких. Вместе с Биллом Лавери он был награжден Орденом Ленина (фото предоставлено Риком Алленом).

The Expedition Organization

Schmidt, Otto Yulievich Chief (Mogilev, 1891) Distinguished professor of mathematics, member of several scholarly associations, editor of the Soviet Encyclopaedia. He was the Chief Administrator of the Northern Sea Route, and had led survey expeditions into the Arctic: in 1929 to Novaja Zemlya with the ice-breaker *Sedov*, to Franz Josef Land in 1930, to Severnaya Zemlya in 1932, and, on the *Siberiakov*, a complete navigation of Northern Sea Route in 1932. For this last achievement, he was awarded the Order of Lenin.

Bobrov, Aleksei Nikolaevich Assistant Chief (Leningrad) Had been an active participant in the revolutionary movement, was convicted, and had to leave Russia before becoming a member of the Communist Party. When Schmidt was taken ill at the rescue, he took over as Chief of the Expedition.

Kopusov, Ivan Alekseevich - Assistant Chief (Ulichskom District, Ivanov Province, 1902) Special correspondent for *Pravda*. Awarded the Order of Labour Red Banner.

Baevsky, Ilya Leonidovich - Assistant Chief (Saratov, 1894) Served in the Red Army, 1919-1921. In Mongolia, 1929-30. President of the State Planning Committee of the U.S.S.R., 1931-33.

Zadorov, Vladimir Alekseevich - Party Secretary (Lower Novgorod, 1903) This was his first expedition, and he worked also as a stoker and machinist.

Krenkel, Ernest Theodorovich - Senior Radio Operator/ Telegrapher (Yureve, 1903) A radio operator with 15 years experience, he had already wintered in Novaya Zemlya and Franz Josef Land. He established the first short-wave transmitter in the Arctic. As a member of the Sibiriakov expedition, he was awarded the Order of the Red Banner. During the 1930s he had his own radio station and was well-known among the international amateur radio community.

Fakidov, Ibragim Gafurovich - Engineer, Physicist (Alushta, Crimea, 1906) Served on the expedition to the Kola Peninsula and elsewhere in the north. As professor of physics and a faculty member of the Physio-Technical Institute, he authored many scholarly works and made several inventions.

Khmyznikov, Pavel Konstantinovich - Hydrographer (St. Petersburg, 1906) A graduate of the Geographical Institute, worked on submarines in the Baltic before 1918. After 1920, he worked in research expeditions at the estuaries of the Lena, Olenka, Yani, and other rivers.

Gakkel, Jakob Jakovlevich - Land Surveyor (St. Petersburg, 1901) Participated in the Olon hydrological expedition and in surveys of Yakutia, Chelekin, and Kara-Kum regions. A member of the *Sibiriakov* voyage, he was awarded the Order of Labour Red Banner.

Shpakovsky, Nikolai Nikolaevich - Aerologist (Revel, 1899) Served in the Yakut Science Academy expedition. From 1929 to 1932, he was a science scholar at the Lyathovkoy Aereo-Meteorological station, and a researcher at the Arctic Institute.

Komov, Nikolai Nikolaevich - Meteorologist (St. Petersburg, 1895) A master-researcher, he received the highest historical-phylological education. He travelled extensively and spent time in the Pamir mountains, Novaya Zemlya. He lived for two years at Lawrence Bay, in Chukotka.

Komova, Olga Nikolaevna - Meteorologist (Ryazan, 1902) She had travelled extensively in Turkestan, the Urals, the Ussuri and Buryat regions, Mongolia, and Novaya Zemlya. With her husband at Lawrence Bay, Chukotka, she worked in the native school and at the weather station.

Stakhanov, Vladimir Sergeevich - Zoologist (Moscow, 1909) Graduated from Moscow University and, before this voyage, had participated in many expeditions during the previous eight years, including five major surveys in the Far East.

Shirshov, Petr Petrovich - Hydro-Biologist (Ekaterinoslav/ Dnepropetrovsk, 1905) Participated in surveys of the Dnieper steppes, the Kola Paninsula, and Novaya Zemlya. Served in the *Sibiriakov* expedition, for which he was awarded the Order of Labour Red Banner.

Lobza, Paraskeva Gregorievna - Hydro-Chemist (Tyumen, 1902) Daughter of a carpenter, she graduated from the Leningrad Chemico

Technological Institute in 1933, and became a researcher at the Arctic Institute.

Semenov, Sergei Aleksandrovich - Author, Expedition Secretary (Kostroma Province, 1893) Had fought in the civil war. For his work in the *Sibiriakov* expedition, he was awarded the Order of Labour Red Banner.

Reshetnikov, Fedor Pavlovich - Artist (Sursko-Litovsky, Ekaterinoslav Region, 1906) Born an orphan, he was a member of the *Sibiriakov* expedition, and was awarded the Order of Labour Red Banner. Several of his paintings, made during the *Chelyuskin's* epic voyage, are featured in this book.

Shafran, Arkady Mikhailovich - Camera Man (Moscow, 1907) Graduated from the Leningrad Cinema Technical School in 1931, and had photographed several cultural films. He also built magnetos at a Ural collective farm. On the staff of the *Union Cinema Chronicle*.

Novitsky, Petr Karlovich - Photographer (Moscow, 1885) Served under O.J. Schmidt in all his Polar expeditions. He was awarded the Order of Labour Red Banner for his work on the Sibiriakov voyage.

Gromov, Boris Vasilievich - *Izvestia* Special Correspondent Participated in O.J.Schmidt's expeditions to Franz Josef Land and Novaya Zemlya. Awarded the Order of Labour Red Banner for his work on the *Sibiriakov* voyage.

Gordeev, Vasily Kondratievich - Demolition Technician (Ukraine, 1903) The son of a farmer, he served in the Red Army from 1925 to 1930. Early in 1933 he served on the *Krasin* ice-breaker to Novaya Zemlya.

Rytsk, Vikenty Iosifovich - Geologist (Sanarskoje area, Urals) Graduated from Leningrad University. A researcher at the Geological Survey Administration, he served on expeditions to the Kola Peninsula, Lena River, and the Caucasus.

Rytsk, Zinaida Aleksandrovna (born 1907) Sailed with her geologist husband on several long-distance Polar expeditions.

Belopolsky, Lev Osipovich - Zoologist (St. Petersburg, 1907) Participated in expeditions to the Kola Peninsula, the Bering Sea, and the Chukotka Peninsula.

Sushkina, Anna Petrovna - Ichthyologist (Moscow, 1907) Graduated from Moscow University and was on surveys for the fishing industry at Lake Aral, in western Siberia, and also in the Tobolsk Region.

The Crew of the *Chelyuskin*

Voronin, Vladimir Ivanovich - Captain (Sumski Posad, 1892) One of the organizers of the first expeditions to the Kara Sea, he captained the Sedov and the Sibiriakov ice-breaking ships in the earlier Arctic voyages. For his *Sibiriakov* achievement, he was awarded the Order of Lenin.

Godin, Sergei Vasilievich - Senior Deputy Captain (Northern territory, 1894) 22 years as captain of long-distance sailing. In the southern expedition of the *Yenesei*, and trapping surveys of Kara and Arctic seas.

Pavlov, Vladimir Vasilievich - Deputy to Senior Deputy Captain (Shenkurske, Northern Region, 1899) Had sailed for 18 years as a captain of long-distance sailing. Was a member of the 1924 hydrographic expedition to the shores of Novaya Zemlya.

Markov, Mikhail Gavrilovich - Second Deputy Captain (Arkhangelsk, 1904) Had worked in sea transport since 1924, and was Third Assistant to the Captain of the *Sibiriakov* in 1932. He was awarded the Order of the Labour Red Banner.

Vinogradov, Boris Sergeevich - Navigator (Kurgane, former Tobolsk Province, 1911) Worked in sea transport for seven years and in 1928 was a member of the hydrographic expedition to the Pacific Ocean.

Babushkin, Mikhail Sergeevich - Pilot (Moscow Region, 1893) Served in the Air Force from 1914. Was participant in six trapping expeditions. In 1928 helped in the rescue of the crew of the dirigible *Italia*. Awarded the order of the Red banner.

Valavin, Georgi Stepanovich - Flight Engineer (Ufimskoy Province, 1902) Served in the Air Force from 1922, and worked in the Civil Air Fleet from 1930. Member of aerial photography expeditions to Central Asia, the Ukraine, and the Far East.

Matusevich, Nikolai Karlovich - Senior Mechanical Engineer (St. Petersburg, 1887) Graduated from an English College. First sailed in 1911. Under his direction, the first sixteen timber ships were assembled in the Baltic shipyard.

Toikin, Fedor Petrovich - Second Mechanical Engineer (Uryum, Tatariya, 1896) Served in sea transport for twenty years. Participated in the ice-bound action in 1918 to remove ships from Helsingfors.

Piontkovsky, Anton Ivanovich - Third Mechanical Engineer (Odessa, 1880) Worked as ship's mechanic for 32 years and served during the civil war. Sailed frequently in the northern seas and was on the *Litke* when it was part of the expedition to Wrangel island.

Kolesnichenko, Anatoli Simyonovich - Fourth Mechanical Engineer (Sevastopol, 1905) Student of the Leningrad Shipbuilding Institute. Served in the hydrographic expedition on the Black Sea, 1925-27.

Philipov, Mikhail Gregorovich - Fourth Mechanical Engineer (Western Region, 1903) Student of the Leningrad Shipbuilding Institute. Served on icebreakers, 1920-30, and was on the Krasin expedition to rescue the Italian crew of the airship *Nobile*.

Ivanov, Seraphim Aleksandrovich - Radio Operator/Telegrapher (1909) Had wintered in previous Polar expeditions, including one to Novaya Zemlya in his profession. He was one of the six people left on the ice-camp before being rescued by the last aircraft.

Remov, Viktor Aleksandrovich - Senior Engineer (Kostroma Province, 1903) Worked on the excavation and construction of the Kartaly-Magnitogorsk railway line. From the time of its foundation, he was the Senior Engineer of the GUSMI organization.

Rass, Petr Gvidonovich - Engineer (Born 1897) Worked as Senior Engineer on the Leningrad Sudoproyekt (ship project). On the Krasin icebreaker when it met the Chelyuskin in the Kara Sea, and switched ships.

Martisov, Leonid Dmitrievich - Machinist First Class (Astrakan, 1905) Was first a metal-worker, then a machinist. During the civil war he sailed in the Volga River flotilla. He was a student of the Leningrad Institute of Sea Transport.

Fentin, Stepan Philippovich - Machinist First Class (Born 1913) From 1930, worked on ships in the coastal trade in the northern seas.

Barmin, Vasily Fedorovich - Machinist (Arkhangelsk, 1912) Son of a collective farm worker, he sailed as a machinist on merchant ships from 1928. For his work on the *Sibiriakov* expedition, he was awarded the Order of Labour Red Banner.

Nesterov, Ivan Serafimovich - Machinist (Petropavlovsk, Lower Volga Region, 1907) Sailed as a stoker on ships of the Stavrog fleet from 19283. From 1931 to 1933 he was a member of Lensovet.

Apokin, Aleksei Petrovich - Machinist Second Class (Sukremi, Western Province, 1906) Student of the Shipbuilding Institute, he became Secretary of the All-Union Leninist Young *Communist* League.

Petrov, Petr Ivanovich - Metal Worker/ Mechanic (Nikolaev, 1908) From 1930, worked as a mechanic and sailed on geographic expeditions in the Black Sea and in the merchant fleet, He helped to establish the ship's committee on the Chelyuskin.

Zagorsky, Anatoli Aleksandrovich - Boatswain (Shinakov, Vyatska Province, 1899) Had wintered at the North Cape, on the Stavropol, and had been on the *Sibiriakov* expedition, for which he was awarded the Order of Labour Red Banner. He was one of the last six people to be rescued from the ice-camp.

Mosolov, Gavril Andreevich - Diving Instructor (Redilov, Tulskoy Province, 1893) Worked as a diver from 1916, most recently in Arkhangelsk

Kharkevich, Aleksei Yevdokimovich - Senior Diver (Voskresensk, Vitebsk District, 1905) Worked as a diver from 1926. Secretary of the Komsomol branch in Pogranotryad. Worked for

the EPRON organization from 1930.

Ivanuk, Vladimir Vasilievich - Radio Operator/Telegrapher (St. Petersburg, 1899) Served in the expeditions to Novaya Zemlya, Franz Josef Land, and the island of Novosibirsk. A student of the Leningrad Electro-Technical Institute, he wintered on the island of Lyakhovskom.

Durasov, Gregory Ivanovich - Senior Seaman (Arkhangelsk, 1908) Served on the *Sedov* and Siberiakov expeditions, and was awarded the Order of Labour Red Banner.

Sergeyev, Jacob Vladimirovich - Seaman First Class (Arkhangelsk, 1902) Began sailing in northern waters in 1933 and was President of the Ship's Committee on the Sibiriakov expedition, for which he was awarded the Order of Labour Red Banner.

Lomonosov, Nikolai Mikhailovich - Seaman First Class (Vitebsk, 1907) Son of a labourer, he worked as a sailor in the merchant fleet and in the maritime trapping industry from 1926. In 1929 he was on the hydrographic survey of the Chukchi Sea.

Sintsov, Viktor Mikhailovich - Seaman First Class (Arkhangelsk, 1911) A sailor since 1928, he served on the Novaya Zemlya expedition in 1930, and to Franz Josef Land in 1931-32.

Leskov, Aleksandr Yevgrafovich - Seaman First Class (Melekhova, Leningrad Province, 1906) Sailed in the Navy from 1928 to 1930, then on the *Sibiriakov*, for which he was awarded the Order of Labour Red Banner.

Tkach, Mikhail Kuzmich - Seaman First Class (Nikolaev, 1913) A sailor in the merchant fleet from 1930. He was secretary of the Komsomol organization on the *Chelyuskin*.

Baranov, Gennadi Semyenovich - Seaman, Second Class (Arkhangelsk, 1914) Started sailing in 1931. Served on board the Sibiriakov, for which he was awarded the Order of the Labour Red Banner.

Mironov, Aleksandr Yevgenievich - Journalist and Seaman (Orsk, Byelorussia, 1910) Sailed on the Stalin to Spitsbergen and on the schooner

Belukha to Novaya Zemlya. Worked for the Arkhangelsk newspapers.

Mogilevich, Boris Grigorievich – Supplies Manager (Bragine, Minsk Province, 1907) Member of Komsomol in 1917 and active member of the Leningrad organization. He died on 13 February 1934, the only casualty of the 105 people on board the *Chelyuskin*.

Kantsyn, Aleksandr Adamovich - Assistant Steward (Onzin, Dvinskogo District, 1893) Machinist on the Baltic Fleet from 1914 to 1918. Served during and after the civil war as a diplomatic courier.

Sergeyev, Philimon Sergeevich - Cook (Stroking, former Pekoe Province, 1891) Worked as a cook from 1906, served during the civil war, and sailed on merchant ships from 1929.

Morozov, Yuri Stepanovich - Cook (Moscow, 1912) Son of a labourer, he worked as a cook from 1928 onwards. Became a member of the Komsomol while on board the *Chelyuskin*.

Kozlov, Nikolai Semyenovich - Cook (Tretyakovsk, former Yaroslav Province, 1903) Son of a farmer, he worked as a cook from 1916.

Ivanov, Aleksandr Mikhailovich - Motor Mechanic (Opodoskinke (Kostroma Province, 1891) Son of a farmer, he began to work as a chauffeur in 1916, and served in the civil war.

Rumyantsev, Ivan Osipovich - Stoker (Merv, 1895) Began as a stoker in 1911 and in 1918 served on the Vaygach in the Vilkitskogo expedition to the mouth of the Yenisei River. On the *Chelyuskin*, he was a member of the ship's committee.

Kiselev, Sergei Nikolaevich - Stoker (Riga, 1900) Son of a labourer, he worked as a stoker on merchant ships from 1923, having served during the civil war in the Red Army.

Markov, Yevlamny Leonidovich - Stoker (Arkhangelsk, 1903) Labourer's son, sailor on merchant ships from 1922. Stoker on

Sibiriakov, awarded Order of Labour Red Banner.

Agafonov, Avram Nikdaevich - Stoker (Pushlakhte, Arkhangelsk Province, 1896) Worked as a stoker from 1917, and served in the Red Army, 1918-1920. Member of the *Sibiriakov* crew, he was awarded the Order of Labour Red Banner.

Gromov, Vasily Ivanovich - Stoker First Class (Born 1913) Worked as stoker of the White Sea Trading Fleet and was a member of the *Sibiriakov* expedition, for which he was awarded the Order of Labour Red Banner.

Parshinsky, Valentin Leonidovich - Stoker (Arkhangelsk, 1912) Worked as a stoker from 1927, and sailed on the *Rusanov* and *Sedov* expeditions to Novaya Zemlya.

Yulev, Aleksandr - Stoker (Arkangelsk, 1904) Worked as a mine machinist on warships from 1921 to 1926, then on ships of the Soviet merchant fleet, and served on the expedition to Novaya Zemlya

Butakov, Nikolai Stepanovich - Stoker First Class (Arkhangelsk, 1913) Sailed as a stoker from 1929, and with the *Sedov* and the Sibiriakov, for which he was awarded the Order of Labour Red Banner.

Kukushkin, Boris Aleksandrovich - Stoker (Slobode, Volga Province, 1913) Worked as stoker from 1930, including the *Sibiriakov* expedition, for which he was awarded the Order of Labour Red Banner.

Yermilov, German Pavlovich - Stoker First Class (Arkhangelsk, 1913) Served as machinist with the merchant shipping fleet, and participated in the expedition to Kolguev Island in 1932.

Malkhovsky, Josef Ivanovich - Stoker First Class (Romanskov, Vitebsk Province, 1912) In 1932, served on board the *Krasin* ice breaker, which assisted the *Lenin* ice-breaker in the Kara Sea.

Shusha, Adam Dominikovich - Ship's Carpenter (Pragalvay, Kovensky Province, 1881) Began sailing in 1898. Was with the 1929 *Sedov* expedition to Franz Josef Land, and subsequently with ships in northern waters.

Agapitov, Vasily Mikhailovich - Baker (Onega, 1905) Son of a labourer, he sailed as a stoker in the Navy

Gorskaya, Aleksandra Aleksandrovna - Maid (Obykhovo Station, Leningrad District, 1906) Daughter of a labourer, had served for eleven years.

Burakova, Elena Nikolaevna - Maid (Arkhangelsk, 1903) Daughter of a labourer, she sailed with the merchant fleet from 1930 as a barmaid. This was her first trip to the Arctic.

Miloslavskaya, Tatiana Alekseevna - Maid (Khar, Tverskoy Province, 1897) Daughter of a farmer, on her first long journey.

Rudas, Anna Ivanova - Barmaid (Mikulski, Ekaterinoslav District, 1910) Sailed as a maid or barmaid on ships of the merchant fleet from 1926. In 1930 she was on the expedition to save the *Ilych*.

Lepikhin, Vasily Savlevich - Bartender (Izhevsk, 1905) Son of a labourer, he sailed with the merchant fleet from 1930, and on the ice breaker *Malygin* to Spitsbergen in 1932

The Wrangel Island Relief Party

Buyko, Petr Semyonovich - Polar Station Chief (St. Petersburg, 1903) Had worked in several factories in Leningrad, and had been an assistant to the Leningrad Regional Committee Personnel Division Chief of the Communist party.

Buyko, (Kozhina) Lydia Fedorovna (Siberia, 1909) Sailing with her husband and her daughter Alla.

Vasiliev, Vasily Gavrilovich - Land Surveyor (Ivanovo Voznesensk, 1905) Graduated from university in 1931 and was with the 18-month Chukotka-Anadyr expedition, 1931-32. Thereafter he was a member of the All Union Arctic Institute.

Vasilieva, Doroteya Ivanovna (Vladivostok, 1912) Sailing with her husband, with whom she had also been on the Chukotka-Anadyr expedition. She was a specialist model-maker.

Nikitin, Konstantin Aleksandrovich - Doctor (Lower Novgorod, 1884) Son of an engineer, he graduated from the Military Medical Academy in 1912. He had served as a military doctor for thirteen years.

Prokopovich, Yevgeny Sergeevich - Electro-Technical Construction Engineer (Lower Novgorod, 1900) Served in the Red Army from 1919 to 1923 before taking up his profession.

Pogosov, Aleksandr Ervandovich - Motor Mechanic (Dzhelai-Ogly, Armenia, 1908) Worked as excavator operator on construction sites in Tiflis from 1925 to 1928, then served in the Workers and Peasants Army from 1930 to 1932.

Gurevich, Viktor Yevseevich - Motor Mechanic (Leningrad, 1909) Worked as a mechanic for five years before serving in the Red Army from 1931 to 1933. On the *Chelyuskin* he was in charge of diesel engines.

Zverev, Aleksandr Ivanovich - Cook (Sashkov, Lyubimsky District, Yaroslav Province, 1881) A cook for 40 years, he had travelled to winter on Wrangel Island.

Nikolaev, Ivan Kuzmich - Stove Man (Yaroslav Province, 1912) Began working in 1913 and was a volunteer in the Red Army.

Berezin, Dimitri Ilich - Stove Man (Guseve, Novgorod Province, 1894) Began working as stove installer in 1931, and served in the Red Army from 1918 to 1920.

Berezin, Mikhail Ilich - Stove Man (Guseve, Novgorod Province, 1913) Son of Dmitri, worked as stove installer from 1929.

Sorokin, Pavel Nikonovich - Carpenter (Krasnove, Ivanovsk Province, 1908) Worked as carpenter from 1924 and on ships before this voyage.

Skvortsov, Fedor Yakovlevich - Carpenter (Konstantinovka, Ivanovsk Province, 1906) Worked as carpenter since 1918.

Baranov, Vasily Mikhailovich - Carpenter (Yactrebikhe, Tver Province, 1890) Worked as

carpenter since 1910 and volunteered for the Red Army in 1917.

Kulin, Nikolai Nikolaevich - Carpenter (Gologonove, Kostroma Province, 1898) A carpenter since 1913, he served in the civil war.

Kudryavtsev, Dimitri Ivanovich - Carpenter (Vatamonove, Kostroma Province, 1904) Worked as carpenter since 1925.

Voronin, Petr Ivanovich - Carpenter (Koyucheno, Kostroma Province, 1908) Son of a farmer, he was the construction team leader for the Wrangel Island party.

Golubev, Vasily Sergeevich - Carpenter (Andronovka, Kostroma Province, 1899) A carpenter since 1915, he served in the Red Army.

Yuganov, Aleksei Ivanovich - Carpenter (Supatskoye, Yaroslav Province, 1912) Worked as carpenter since 1930.

Koznin, Konstantin Fedorovich - Stoker Second Class (Guse Khrustalnom, 1910) Son of a labourer, he became a chauffeur in 1926, then worked in factories as a metal worker until 1931

The Children

Buyko, Alla - Born in August 1932, she sailed with her parents to winter on Wrangel Island. During the voyage, she learned to walk and to talk.

Karina, Vasilieva - Born in August 1933 on the *Chelyuskin* as it crossed the Kara Sea, and she was named after it.

Организаторы экспедиции

Шмидт Отто Юльевич, руководитель (г. Могилев, 1891 г.) Заслуженный профессор математики, член многих научных обществ, редактор «Советской Энциклопедии». Он являлся главным администратором Северного Морского Пути и водил исследовательские экспедиции в Арктику: в 1929 г. на Новую Землю на ледоколе «Седов»; в 1930 г. на Землю Франца-Иосифа; в 1932 г. на Северную Землю и в экспедицию «Сибирякова», где прошел полную навигацию по СМП. За свое последнее достижение он был награжден Орденом Ленина.

Бобров Алексей Николаевич, зам. начальника (г.Ленинград). Активно участвовал в революционном движении, был осужден и бежал из России, после чего вступил в ряды Компартии. Во время болезни Шмидта в ходе спасательной операции принял на себя обязанности начальника экспедиции.

Копусов Иван Алексеевич, зам.начальника (Ивановская обл. Уличкомский р-н, 1902 г.) Спец-корр. газеты *Правда*. Награжден Орденом Трудового Красного Знамени.

Баевский Илья Леонидович, зам. начальника (г. Саратов, 1894 г.) Служил в Красной Армии в 1919-1921 гг. В Монголии в 1929-30 гг. Председатель ГосПлана СССР с 1931 по 1933 г.

Задоров Владимир Алексеевич, секретарь парторганизации (г. Нижний Новгород, 1903 г.) Это была его первая экспедиция. Он также работал машинистом и кочегаром.

Кренкель Эрнст Теодорович, старший радист-телеграфист (г. Юрьев,1903 г.) Радист с 15-летним стажем он зимовал на Новой Земле и Земле Франца-Иосифа. Он установил первый коротковолновый передатчик в Арктике. За участие в экспедиции «Сибирякова» был награжден Орденом Красного Знамени. В 30-е годы он имел собственную радиостанцию и был хорошо известен радиолюбителям всего мира.

Факидов Ибрагим Гафурович, инженер-физик (г. Алушта, Крым, 1906 г.) Участвовал в экс-педиции на Кольский п-ов и других северных экспедициях. Профессор МФТИ, автор многих научных работ и изобретений.

Хмызников Павел Константинович, гидрограф (г. Петербург, 1906 г.) выпускник географического института, работал на подводных лодках в Балтийском море до 1918 г. С 1920 г. работал в исследовательских партиях в устьях рек Лена, Оленек, Яна и др.

Гаккель Яков Яковлевич, топограф (г. Петербург, 1901 г.) Участник Олонской гидрологической экспедиции и топографической съемки Якутии, Челекинского и Кара-Кумского районов Член экспедиции «Сибирякова», награжден Орденом Трудового Красного Знамени.

Шпаковский Николай Николаевич, археолог (г. Ревель, 1899 г.) Участвовал в Якутской экспедиции Академии наук. С 1929 по 1932 г. был научным сотрудником аэрометеорологической станции «Ляховская» и НИИ Арктики.

Комов Николай Николаевич, метеоролог (г. Петербург, 1895 г.) замечательный исследователь, получил высшее историко-филологическое образование. Много путешествовал в том числе на Памире, Новой Земле. Прожил 2 года в заливе св.Лаврентия на Чукотке.

Комова Ольга Николаевна, метеоролог (г. Рязань, 1902 г.) Много путешествовала в Туркестане, на Урале, в Уссурийском крае, Бурятии, Монголии и на Новой Земле. Вместе с мужем работала на Чукотке в заливе св. Лаврентьева в местной школе и на метеостанции.

Стаханов Владимир Сергеевич, зоолог (г. Москва, 1909 г.) выпускник МГУ. Ранее в течение 8 лет участвовал во многих экспедициях, включая 5 крупных землеразведывательных партий на Дальнем Востоке.

Ширшов Петр Петрович, гидробиолог (г. Екатеринославль/Днепропетровск, 1905 г.) Участвовал в землемерных партиях в Днепровских степях, на Кольском п-ове и Новой Земле. Участник экспедиции «Сибирякова», за которую получил Орден Трудового Красного Знамени.

Лобза Прасковья Григорьевна, гидрохимик (г. Тюмень, 1902 г.) Дочь плотника, закончила Ленинградский химико-технологический ин-т в 1933 г. и работала научным сотрудником в НИИ Арктики.

Семенов Сергей Александрович, писатель, секретарь экспедиции (Костромская обл., 1893 г.) Участник Гражданской войны. За участие в экспедиции «Сибирякова» награжден Орденом Трудового Красного Знамени.

Решетников Федор Павлович, художник (Сурско-Литовский, Екатеринославская обл., 1906 г.) Сирота. Участвовал в экспедиции «Сибирякова» и получил Орден Трудового Красного Знамени. Несколько его картин, созданных во время исторического плавания «Челюскина», иллюстрируют эту книгу.

Шафран Аркадий Михайлович, оператор (г. Москва, 1907 г.) Закончил Ленинградское кинематографическое училище в 1931 г., участвовал в съемках нескольких документальных фильмов. Строил магнето в уральском колхозе. Был штатным сотрудником Союз-КиноХроники.

Новицкий Петр Карлович, фотограф (г. Москва, 1885 г.) Участвовал во всех полярных экспедициях О. Ю. Шмидта. Награжден Орденом Трудового Красного Знамени за участие в экспедиции «Сибирякова».

Громов Борис Васильевич, специальный корреспондент «Известий». Участник экспедиций О. Ю. Шмидта на Новую Землю и Землю Франца Иосифа. Награжден Орденом Трудового Красного Знамени за участие в экспедиции «Сибирякова».

Гордеев Василий Кондратьевич, техник-подрывник (Украина, 1903 г.) Сын крестьянина. Служил в Красной Армии с 1925 по 1930 г. В начале 1933 г. работал на ледоколе «Красин» на Новой Земле.

Рыцк Викентий Иосифович, геолог (Соликамский р-н, Урал). Закончил Ленинградский университет. Сотрудник управления геодезии и картографии, участвовал в экспедициях на Кольский п-ов, р. Лена и Кавказ.

Рыцк Зинаида Александровна (род. 1907 г.). Сопровождала своего мужа-геолога во многих длительных полярных экспедициях.

Белопольский Лев Осипович, зоолог (г. Петербург, 1907 г.) Участник экспедиций на Кольский п-ов, в Берингово море и на Чукотку.

Сушкина Анна Петровна, ихтиолог (г. Москва, 1907 г.) Выпускница МГУ, участвовала в разведывательных экспедициях рыбпрома на Аральском море, в Западной Сибири и в р-не Тобольска.

Команда «Челюскина»

Воронин Владимир Иванович, капитан (Сумский Посад, 1892 г.) Один из организаторов первых экспедиций в Карское море. Был капитаном ледоколов «Седов» и «Сибиряков» в более ранних полярных экспедициях. Получил Орден Ленина за «Сибирякова».

Годин Сергей Васильевич, старший помощник (Северная территория, 1894 г.). В течение 22 лет был капитаном дальнего плавания. Участвовал в экспедициях на Енисей и экспедициях за пушниной в Карское море и другие моря Северного Ледовитого Океана.

Павлов Владимир Васильевич, зам. старпома (Шенкурск, Северный Регион, 1899 г.). Служил капитаном дальнего плавания 18 лет. Участвовал в гидрографической экспедиции 1924 года к берегам Новой Земли.

Марков Михаил Гаврилович, второй помощник капитана (г. Архангельск, 1904 г.). Работал в морском транспорте с 1924 г. Был третьим помощником капитана «Сибирякова» в 1932 г. Кавалер Ордена Трудового Красного Знамени.

Виноградов Борис Сергеевич, штурман (г. Курган, бывш. Тобольская обл., 1911 г.). Служил в морском транспорте 7 лет, в 1928 году участвовал в гидрографической экспедиции на Тихий океан.

Бабушкин Михаил Сергеевич - летчик (Московская обл., 1893 г.). С 1914 служил в ВВС. Участвовал в шести экспедициях за пушниной. В 1928 г. помогал спасать экипаж дирижабля «Италия». Кавалер Ордена Красного Знамени.

Валавин Георгий Степанович, летчик-инженер (Уфимская обл., 1902 г.). Служил в ВВС с 1922 г., в гражданской авиации с 1930 г. Участвовал в аэрофотосъемке в Средней Азии, на Украине и Дальнем Востоке.

Матусевич Николай Карлович, ст. инженер-механик (г. Петербург, 1887 г.). Закончил колледж в Англии. Совершил первое плавание в 1911 г. Под его руководством на Балтийской верфи были построены первые 16 судов-лесовозов.

Тойкин Федор Петрович, второй инженер-механик (г. Урюм, Татария, 1896 г.). Служил в морском транспорте 20 лет. Участвовал в работах по ледовой эвакуации кораблей из Хельсингфорса.

Пентковский Антон Иванович, третий инженер-механик (г. Одесса, 1880 г.). Работал бортовым механиком 32 года, участвовал в Гражданской войне. Часто бывал в северных морях, в том числе на «Литке» во время экспедиции на о. Врангеля.

Колесниченко Анатолий Семенович, четвертый инженер-механик (г. Севастополь, 1905 г.). Студент Ленинградского судостроительного ин-та. Участвовал в гидрографической экспедиции на Черное море в 1925-27 гг.

Филипов Михаил Григорьевич, четвертый инженер-механик (Западный регион, 1903 г.). Студент Ленинградского судостроительного ин-та. Служил на ледоколах в1920-30 гг. Участвовал в экспедиции «Красина» по спасению команды итальянского дирижабля «Нобиле».

Иванов Серафим Александрович, радист-телеграфист (род. 1909 г.). Работал по специальности в нескольких зимних полярных экспедициях, включая Новую Землю. Он был одним из 6 человек, которые оставались на льдине до прилета последнего самолета.

Ремов Виктор Александрович, ст. инженер (Костромская обл., 1903 г.). Работал на прокладке и строительстве железной дороги Карталы – Магнитогорск. С момента образования ГУСМП работал главным инженером.

Расс Петр Гвидонович, инженер (род. 1897 г.). Работал главным инженером ЛенинградСудопроект. Пересел с «Красина» на «Челюскин», когда ледоколы встретились в Карском море.

Мартисов Леонид Дмитриевич, машинист первого класса (г. Астрахань, 1905 г.). Переквалифицировался из металлурга в машинисты. Во время Гражданской войны работал на кораблях Волжской флотилии. Учился в ин-те Морского Транспорта.

Фентин Степан Филиппович, машинист первого класса (род. 1913 г.). С 1930 г. работал на северо-морских торговых судах.

Бармин Василий Федорович, машинист (г. Архангельск, 1912 г.). Сын колхозника. Работал машинистом на торговых судах с 1928 г. За работу в экспедиции «Сибирякова» награжден Орденом Трудового Красного Знамени.

Нестеров Иван Серафимович, машинист (г. Петропавловск, р-н нижней Волги, 1907 г.). Плавал кочегаром на судах флота Ставрог с 1928 г. С 1931 по 1933 г. был членом Ленсовета.

Апокин Алексей Петрович, машинист второго класса (г. Сукреми , Западная обл., 1906 г.). Студент Судостроительного ин-та. Стал Секретарем ВЛКСМ.

Петров Петр Иванович, металлург-механик (г. Николаев, 1908 г.). С 1930 г. работал механиком, плавал в географические экспедиции на Черное море на кораблях торгового флота. Помогал организовать партийный комитет корабля «Челюскин».

Загорский Анатолий Александрович, боцман (г. Шинаков, Вятская обл., 1899 г.). Зимовал на мысе Северный в составе команды «Ставрополя». Участвовал в экспедиции «Сибирякова», за которую получил Орден Трудового

Красного Знамени. Был среди 6 последних членов экспедиции, снятых со льдины.

Мосолов Гаврила Андреевич, водолаз-инструктор (г. Редилов, Тульская обл., 1893 г.). Работал подводником с 1916 г. в последние годы в Архангельске.

Харкевич Алексей Евдокимович, старший водолаз (г. Воскресенск, Витебская обл., 1905 г.). Работал водолазом с 1926 г. Затем секретарем Комсомольского отделения Погранотряда. С 1930 работал в ЭПРОН.

Иванюк Владимир Васильевич, радист-телеграфист (г. Петербург, 1899 г.). Участвовал в экспедициях на Новую Землю, Землю Франца Иосифа и Новосибирские о-ва. Студент Ленинградского электротехнического ин-та. Зимовал на о. Ляховский.

Дурасов Григорий Иванович, ст. матрос (г. Архангельск, 1908 г.). Работал на «Седове» и «Сибирякове», награжден Орденом Трудового Красного Знамени.

Сергеев Яков Владимирович, матрос первого класса (г. Архангельск, 1902 г.). Начал плавать в северных морях с 1933 г. Был председателем партийного комитета экспедиции «Сибирякова», за которую получил Орден Трудового Красного Знамени.

Ломоносов Николай Михайлович, матрос первого класса (г. Витебск, 1907 г.). Сын батрака был матросом торгового флота с 1926 г. В 1929 г. участвовал в гидрографической разведке Чукотского моря.

Синцов Виктор Михайлович, матрос 1 класса (г. Архангельск, 1911 г.). Плавал с 1928 г., участвовал в экспедициях на Новую Землю в 1930 г. и на Землю Франца Иосифа в 1931-32 гг.

Лесков Александр Евграфович, матрос 1 класса (Мелехово, Ленинградская обл., 1906 г.). Служил в ВМФ с 1928 по 1930 г., затем на «Сибирякове», за который получил Орден Трудового Красного Знамени.

Ткач Михаил Кузьмич (г. Николаев, 1913 г.). Был матросом торгового флота с 1930 г. Секретарь комсомольской организации «Челюскина».

Баранов Геннадий Семенович, матрос 2 класса (г. Архангельск, 1914 г.). Стал моряком в 1931 г. Служил на борту «Сибирякова», за что был награжден Орденом Трудового Красного Знамени.

Миронов Александр Евгеньевич, журналист и матрос (г. Орск, Белоруссия, 1910 г.) Плавал на «Сталине» на Шпицберген, на шхуне «Белуха» плавал до Новой Земли. Сотрудничал с Архангельскими газетами.

Могилевич Борис Григорьевич, завхоз (г. Брагин, Минская обл., 1907 г.). Член ВЛКСМ с 1917 г., активно работал в Ленинградской комсомольской организации. Погиб 13 февраля 1934 г. Стал единственной жертвой на «Челюскине».

Канцин Александр Адамович, помощник стюарда (г. Онзин, Двинская обл., 1893 г.). Машинист Балтийского флота с 1914 по 1918 г. Работал дипкурьером во время и после окончания гражданской войны.

Сергеев Филимон Сергеевич, кок (Строкин, бывш. Псковская обл., 1891 г.). Работал коком с 1906 г., служил во время гражданской войны, плавал на торговых кораблях с 1929 г.

Морозов Юрий Степанович, кок (г. Москва, 1912 г.). Сын батрака. Работал коком с 1928 до пенсии. Вступил в Комсомол на борту «Челюскина».

Козлов Николай Семенович, кок (Третьяковск, бывш. Ярославская обл., 1903 г.). Сын крестьянина. Работал коком с 1916 г.

Иванов Александр Михайлович, механик-моторист (Оподоскинка, Костромская обл., 1891 г.). Сын крестьянина. Начал работать шофером в 1916 г., участник Гражданской войны.

Румянцев Иван Осипович, кочегар (Мерв, 1895 г.). Начал карьеру кочегаром в 1911 г. В 1918 г. работал на «Вайгаче» в экспедиции Великотского в устье реки Енисей. На «Челюскине» был членом партийного комитета корабля

Киселев Сергей Николаевич, кочегар (Рига, 1900 г.). Сын батрака. Работал кочегаром на кораблях торгового флота с 1923 г., участник Гражданской войны, красноармеец.

Марков Евлампий Леонидович, кочегар (Архангельск, 1903 г.). Сын батрака. В торговом флоте с 1922 г. Был кочегаром на «Сибирякове», кавалер Ордена Трудового Красного Знамени.

Агафонов Абрам Никодимович, кочегар (Пушлахте, Архангельская обл., 1896 г.) Работал кочегаром с 1917 г., служил в Красной Армии в 1918-1920 гг. Член команды «Сибирякова». Награжден Орденом Трудового Красного Знамени.

Громов Василий Иванович, кочегар 1 класса (род. 1913 г.) Работал кочегаром на кораблях Беломорского Торгового пароходства. Член экспедиции «Сибирякова», за которую был награжден Орденом Трудового Красного Знамени.

Паршинский Валентин Леонидович, кочегар (Архангельск, 1912 г.). Работал кочегаром с 1927 г., участник экспедиций на Новую Землю *Русанова* и *Седова*.

Юлев Александр, кочегар (Архангельск, 1904 г.). Служил машинистом на военных кораблях с 1921 по 1926 гг., затем на кораблях Советского торгового флота. Участник экспедиции на Новую Землю.

Бутаков Николай Степанович, кочегар 1 класса (Архангельск, 1913 г.). Плавал кочегаром с 1929 г., в том числе на «Седове» и «Сибирякове». Кавалер Ордена Трудового Красного Знамени.

Кукушкин Борис Александрович, кочегар (Слобода, Волжская обл., 1913 г.). Работал кочегаром с 1930 г., в том числе в экспедиции «Сибирякова», за что получил Орден Трудового Красного Знамени.

Ермилов Герман Павлович, кочегар 1 класса (Архангельск, 1913 г.). Служил машинистом в торгвом флоте. Участник экспедиции на о. Колгуев в 1932 г.

Мальховский Иосиф Иванович. Кочегар 1 класса (Романовск, Витебская обл., 1912 г.). В 1932 г. служил на борту ледокола «Красин», который помогал ледоколу «Ленин» в Карском море.

Шуша Адам Доминикович, корабельный плотник (Прагалвай, Ковенская обл., 1881 г.). На флоте с 1898 г. Был в экспедиции «Седова» на Землю Франца Иосифа и далее на североморских кораблях.

Агапитов Василий Михайлович, пекарь (Онега, 1905 г.). Сын батрака. Плавал кочегаром на судах ВМФ.

Горская Александра Александровна, горничная (ст. Обухово, Ленинградская обл., 1906 г.). Дочь батрака. Работала на флоте 11 лет.

Буракова Елена Николаевна, горничная (Архангельск, 1903 г.). Дочь батрака. Работала барменшей на кораблях Торгового флота с 1930 г. Это был ее первый рейс в Арктику.

Милославская Татьяна Алексеевна, горничная (Харь, Тверская обл., 1897 г.). Дочь крестьянина. Это было ее первое дальнее путешествие.

Рудас Анна Ивановна, буфетчица (Микульский, екатеринославская обл., 1910 г.). Плавала горничной и барменшей на торговых кораблях с 1926 г.. В 1930 г. участвовала в экспедиции по спасению «Ильича».

Лепихин Василий Савельевич. бармен (Ижевск, 1905 г.). Сын батрака. Плавал на кораблях Торгового флота с 1930 г., в том числе на ледоколе «Малыгин» на Шпицберген в 1932 г.

Команда, отправлявшаяся на о. Врангеля

Буйко Петр Семенович, начальник полярной станции (Петербург, 1903 г.). Работал на ленинградских заводах, был помощником начальника отдела кадров Ленинградского Областного Комитета Коммунистической партии.

Буйко (Кожина) Лидия Федоровна (Сибирь, 1909 г.). Сопровождала мужа вместе с дочерью Аллой.

Васильев Василий Гаврилович, топограф (Иваново Вознесенск, 1905 г.). Закончил университет в 1931 г., участвовал в 18- месячной экспедиции на Чукотку-Анадырь в 1931- 32 г. В последствии работал во ВНИИ Арктики.

Васильева Доротея Ивановна (Владивосток, 1912 г.). Сопровождала своего мужа в этой, а также в Чукотско-Анадырьской экспедиции. По профессии художник-модельер.

Никитин Константин Александрович, врач (Нижний Новгород, 1884 г.). Сын инженера. Закончил Военно-Медицинскую Академию в 1912 г. Работал военным врачом 13 лет.

Прокопович Евгений Сергеевич, инженер-конструктор электротехнического оборудования (Нижний Новгород, 1900 г.). Служил в Красной Армии с 1919 по1923 г. до получения специальности инженера.

Погосов Александр Эрвандович, механик-моторист (Джелай-Оглы, Армения, 1908 г.). Работал экскаваторщиком на строительных объектах Тифлиса с 1925 по 1928 г., после чего служил в рабоче-крестьянской армии с1930 по 1932 г.

Гуревич Виктор Евсеевич, механик-моторист (Ленинград, 1909 г.). Работал механиком 5 лет, затем служил в Красной Армии с 1931 по 1933 г. На «Челюскине» отвечал за дизельные двигатели.

Зверев Александр Иванович, кок (Сашков, Любимский р-он, Ярославская обл., 1881 г.). Кок с 40-летним стажем. Участвовал в зимовке на о. Врангеля.

Николаев Иван Кузьмич, истопник (Ярославская обл., 1912 г.). Начал трудовую деятельность в 1913. Был добровольцем в Красной Армии.

Березин Дмитрий Ильич, истопник (Гусево, Новгородская обл., 1894 г.). Начал работать печником в 1931 г., служил в Красной Армии с 1918 по 1920 г.

Березин Михаил Ильич, истопник (Гусево, Новгородская обл., 1913 г.). Сын Дмитрия, работал печником с 1929 г.

Сорокин Павел Никонович, плотник (Красново, Ивановская обл., 1908 г.). Работал плотником с 1924 г., в том числе на других кораблях до этого путешествия.

Скворцов Федор Яковлевич, плотник (Константиновка, Ивановская обл., 1906 г.). Работал плотником с 1918 г.

Баранов Василий Михайлович, плотник (Ястребиха, Тверская обл., 1890 г.). Работал плотником с 1910 г., пошел добровольцем в Красную Армию в 1917.

Кулин Николай Николаевич, плотник (Гологоново, Костромская обл., 1898 г.). Плотник с 1913 г., участник Гражданской войны.

Кудрявцев Дмитрий Иванович, плотник (Ватамоново, Костромская обл., 1904 г.). Работал плотником с 1925 г.

Воронин Петр Иванович, плотник (Коючено, Костромская обл., 1908 г.). Сын крестьянина, был начальником строительной бригады, направлявшейся на о. Врангеля.

Голубев Василий Сергеевич, плотник (Андроновка, Костромская обл., 1899 г.). Плотник с 1915 г., служил в Красной Армии.

Юганов Алексей Иванович, плотник (Супатское, Ярославская обл., 1912 г.). Работал плотником с 1930 г.

Кознин Константин Федорович, кочегар 2 класса (Гусь Хрустальный, 1910 г.). Сын батрака, стал шофером в 1926, затем работал металлургом на заводе до 1931 г.

Дети

Буйко Алла, род. в августе 1932 г. Отправлялась с родителями на зимовку на о. Врангеля. Во время путешествия научилась ходить и говорить.

Васильева Карина, род. в августе 1933 г. на «Челюскине» во время прохождения Карского моря, названа в его честь.

Chelyuskin Index

P = Photograph
M = Map
MM = Mike Machat aircraft drawing

A

Agafonov, A. N., stoker, Roll of Honour, 89
Agapitov, V. M., baker, Roll of Honour, 89
Air Fleet Central Office, represented on special committee, 50
Airship, possible rescue plan, 52
Airstrips, preparations at ice-camp, 53
All-Union Arctic Institute, outlines major objectives of Chelyuskin
AMTORG, Soviet trading organization, purchases aircraft, 52, 63
Amundsen, Roald, makes Northwest Passage, 10
Andreev's Land, mythical island, 14
ANT-4
Aircraft selected for rescue attempt, 52
Lyapidevsky makes first rescue, 54-55, 54P, 54M
Full description, 55, 55P, 55MM
Landing gear damaged, 60
Pictured at Providenya, 65P
Apokin, A. P.
Student, 18
Roll of Honour, 88
Armistead, Clyde, American mechanic
Pictured with Ushakov, 77P
Roll of Honour, Order of Lenin, 86P

B

Babushkin, Mikhail
Pilot of Shavrov Sh-2 seaplane, 18P, 19
Helps with coal transfer, 24P
Makes world's first ice patrols, 26
Locates ice-free water, 28, 32
Vital experience for rescue, 51
Shavrov Sh-2 repaired, flies to mainland, 60, 64
Roll of Honour, 87
Baevsky, Il'ya, assistant chief of expedition, Roll of Honour, 87
Baikal-Amur Magistral (BAM) Railroad, 85M
Baranov, G. S., seaman, Roll of Honour, 88
Barents, Willem, Dutch navigator, 10
Barents Sea, Chelyuskin crossing, 21M
Barmin, V. F., machinist, Roll of Honour, 88
Baranov, V. M., carpenter, Roll of Honour, 89
Bastanzhiev, B.V., pilot
Member of No. 1 rescue team, 52
Aircraft damaged, stayed behind, 56
Crashes, survives trek to Anadyr, 56
Order of the Red Star, 72
Bayevsky, I. L., appointed assistant to Schmidt, 12
Belopolsky, L. O., zoologist, Roll of Honour, 87
Berezin, D. I., stove man, Roll of Honour, 89
Berezin, M. I., stove man, son of D.I., Roll of Honour, 89
Bering, Vitus, Danish navigator, 10
Bering Strait, reached by Chelyuskin, 34
Berliner Tageblat, German newspaper, speculates on Chelyuskin fate, 50

Bezais, P. I., refuses to navigate ship, 16
Birnham, commander of airship, rescue plan, 52
Blasting, attempts to blast through ice with explosives, 32P
Bobrov, Alexei N.
Machinist, Deputy to O.J. Schmidt, 18
Takes over command, after Schmidt taken ill, 67, 69, 69P
Sends final telegram, reporting success, to moscow, 70
Roll of Honour, 86P, 87
Bochek, A. P.
Captains Litke ice-breaker, 16
Receives report from O.J.Schmidt, 35
Burakova, E. N., maid, Roll of Honour, 89
Burmeister and Wien, builds Lena/Chelyuskin, 16
Butakov, N. S., stoker, Roll of Honour, 89
Buyko (Byko), P. S., chief of polar station, 18
Flies to Wrangel Island, 31, 34
Portrait, 73P
Roll of Honour, 89
Buyko, L. F., wife of P.S.Buyko, Roll of Honour, 89
Buyko (Byko) family, at the ice camp, 46P
Buyko, Alla, sails with parents, Roll of Honour, 86, 86P 89
Byelo-Russia Station, Moscow, welcomes Chelyuskinians, 75P

C

Cape of Good Hope, route to the Far East, 11M
Chelyuskin, S.I., Russian explorer, 10
Chelyuskin.
The Challenge, 8
Follows Siberiakov, 10
Major objectives outlined, 13
Description of ship 15P
Shortcomings as ice-breaker, 16, 18
Complete route, 17M
Leaves Leningrad, 18-19, 19P
Leningrad-Murmansk voyage, 19M
Provisioned, 19
Pictured with Krasin ice-breaker, 20P
Crosses Barents Sea, meets first ice, 21, 21M
Leaks in the hull, 22P
Crosses the Kara Sea, 23M
Transfers coal to Krasin, 24-25, 24P, 25P
Way blocked at Komsomolsk Island, 28
Enters Boris Vilkitsky Strait, 28
Crosses Laptev Sea and through Sarnikov Strait, 29, 29M
Severe en route ice conditions, 30P
Enters Chukchi Sea, 31, 31M
Attempts to blast through ice with explosives, 32
Breaks free of ice grip, 33
Reaches Bering Strait, 34
Offered help from Litke, 35, 35M
Steering gear damaged, drifts, 36
Tour of Chukchi Sea, final halt, 37, 37M
Schmidt reports sinking, 38
Sinking, 39-41, 39P, 40P, 41 (drawing)
The crew, Roll of Honour, 87

Chess, played at ice-camp, 47P
Chkalov, trans-polar flight, 7
Chukchi people
Help with evacuation at North Cape, 33
Maintain airfield at Vankarem, 64
Portrait (unidentified), 73
Chukchi Sea, obstacles to progress of Chelyuskin, 31
Chukotka, truck convoy from mines, 84P
Coal, transferred to Krasin ice-breaker, 24-25, 24P, 25P
Consolidated Fleetster, aircraft
Purchased by AMTORG for rescue attempt, 52
Flies from Alaska to Chukotka, 62-63, 62P, 63P
Full description, 63, 63MM
History of aircraft, unique dual registration, 63
First to arrive at camp for rescue, 65P, 66
Crew of Chelyuskin, Roll of Honour, 87-89

D

Danilkin, stoker, put ashore, 86
Demirov, I. M., pilot
Member of No. 1 rescue team, 52
Returned because of bad visibility, 56
Crashes, survives trek to Anadyr, 56
Order of the Red Star, 72
Dogs and dog-sleds
Used for evacuation at North Cape, 33
Considered for possible rescue attempt, 51, 51P
Carried by Slepnev to ice-camp in Fleetster, 65, 66
At Vankarem, 69P, 72P
Unidentified, 73P
Take some survivors to Uelen, 74M, 79M
Dormidontov, N. K., supports Voronin's doubts, 16
Doronin, Ivan V. pilot
Called for rescue attempt, No. 2 team, 52
Flies to Vankarem, 60, 61P, 60M
Hero of the Soviet Union, 72
On the way back on the Trans-Sib., 75P
Receives Order of Lenin, Hero of Soviet Union, 77P
Telegram from Supreme Soviet, 83
Durasov, G. I., seaman, Roll of Honour, 88

E

East Siberian Sea, route of Chelyuskin, 33M
Elizarov, volunteers to help rescue, 50
Ermak, ice-breaker, in western port, repairs speeded up, 51
Evacuation of eight crew members at North Cape, 33, 33P
Expedition Organization - Personnel, Roll of Honour, 87
Explosives, attempts to blast through ice, 32

F

Fakidov, I.G., engineer
Monitors damage to Chelyuskin's hull, 32
Continues work during emergency, 38
Portrait, 73P
Reminisces with Yuri Salnikov, 81P

Roll of Honour, 87
Fentin, S. P., machinist, Roll of Honour, 88
Filippov, M. G., student, 18
Fokstimme, German newspaper, despairs for Chelyuskin fate, 50
Fleetster, Consolidated, aircraft
(See Consolidated Fleetster)
Football, played at ice-camp, 47

G

Gjöa, Amundsen's ship, 10
Gakkel, Ya. Ya., geographer, surveyor
Joins Chelyuskin expedition, 12, 18
Reports in detail sinking of Chelyuskin, 41
Roll of Honour, 87
Galyshev, V. L., pilot
Called for rescue attempt, heads No. 2 team, 52
Aircraft damaged, stayed at Anadyr, 60
Order of the Red Star, 72
Godin, S. V., senior deputy captain
Chief mate, 18
Monitors damage to Chelyuskin's hull, 32
Roll of Honour, 87
Golubev, V. S., carpenter, Roll of Honour, 89
Gorilov, Kamanin's navigator, 57
Gorky Street, Moscow, celebratory parade, 76P
Gorskaya, Aleksandra, maid (stewardess)
Portrait, 73P
Roll of Honour, 89
Gordeev, V. K., demolition technician, Roll of Honour, 87
Gribalkin, Kamanin's navigator, 81P
Gromov, Mikhail
Trans-polar flight, 7
Receives Order of Lenin, 77P
Gromov, Boris, Izvestia correspondent, 12
Roll of Honour, 87
Gromov, V. I., stoker, Roll of Honour, 89
Gurevich, V. Y., motor mechanic, Roll of Honour, 89

H

Heroes of the Soviet Union
Titles conferred to airmen, 72
Honour ceremonies, 77P
Telegram from Supreme Soviet, 83

I

"Ice-bog," 32
Ice Camp
Location, 37M
First setting up and Salvage, 42-43, 42P, 43P
Settling in, 44, 44P
Accommodation, 45, 45P
Life in the Camp, 46P
Entertainment, 47P
Scientific observations, 48, 48P
Field kitchen, 48, 48P
Problems of ice, hummocks, crevasses, 49, 49P
Preparations for aircraft rescue, 53, 53P
Final evacuation, 66, 66P
The last sight, 70P
Ice Crocodile, wall newspaper in ice-camp, 37
Ivanov, S. A., radio operator, Roll of Honour, 88
Ivanov, motor mechanic, Roll of Honour, 88
Ivanuk, V. V., radio operator, Roll of Honour, 88
Izvestia, newspaper interview, 12

J

Janson, N. M., member of special committee, 50
Joffe, S. S., member of special committee, 50
Junkers-F 13
Based at North Cape, flies to Wrangel Island, 34, 34P
Selected for rescue attempt, No. 2 team, 52
Unit 2, flies to Vankarem, 60, 60M
Full description, 61,61MM
Pictured at Vankarem, 70P

K

Kakushkin, B. A., stoker, Roll of Honour, 89
Kalinin
Triumphant stroll with Stalin, Kamanin, Kuibyshev, 75P
Present honours to Vasili Molokov, 78P
Kamanin, Nikolai P., pilot
Called for rescue attempt, 52
Heads Unit No. 1, 52
Leads team to Chukotka, 56, 56P, 56M
Rescues 34 from ice-camp, 56, 57P, 66
Hero of the Soviet Union, 72
On the way back by Trans-Sib., 75P
Triumphant stroll with Comrade Stalin, 75P
With Schmidt and Kuibyshev, 76P
Receives Order of Lenin, Hero of Soviet Union, 77P
Historic anniversary meeting of Chelyuskin pilots, 82P
Telegram from Supreme Soviet, 83
Kamenev, S.S., culls Kremlin to form committee, 50
Kamov, N. N., meteorologist, master-researcher, Roll of Honour, 87
Kantsyn, A. A., asst. steward, Roll of Honour, 88
Kara Sea, Chelyuskin crossing, 23M
Karina Vasilevska
Born on the Kara Sea, 23, 26
Rescued from ice-camp, 54P
At reunion at Anadyr, 81P
Roll of Honour, 86P, 89
Karpov, Vladimir, writer, interviews Chelyuskin pilots, 82
Kharkevich, A.V., diver, Roll of Honour, 88
Khlebnikov, Yu. K., captain of Siberiakov, 28
Khmyznikov, P. K.
Hydrographer, 18
Roll of Honour, 87
Khvorostiansky, N. N., Chief of Uelen Station
Receives telegram from Schmidt, 42
Receives order from Kuibyshev, 51
Considers dog-sled rescue, 51
Order of the Red Banner of Labour, 72
Kiselev, S. N., stoker, Roll of Honour, 89
Kolisnichenko, A. S., mechanical engineer
Student,18
Roll of Honour, 88
Kolner, electrical engineer, 86
Koluchin Island, scene of Chelyuskin's drift, 32
Komov, N. N., scientist, 18
Komova, O. N., meteorologist
Wife of Komov, 73P
Roll of Honour, 87
Komsomolsk Island, way blocked for Chelyuskin. 28
Kopusov, I. A.
Appointed assistant to Schmidt, 12
Roll of Honour, 87

Kozlov, N. S., cook, Roll of Honour, 88
Koznin, K. F., stoker, Roll of Honour, 89
Krasin, ice-breaker
Ordered to escort Chelyuskin, 16
Pictured with Chelyuskin, 20P
Coal transfer from Chelyuskin, 24-25, 24P, 25P
Clears "soft" ice, 25P
Rendezvous at Vilkitsky Strait, 28P
Propeller shaft broken, 30
In western port, prepared for rescue attempt, 51
Leaves Kronstadt for rescue attempt, 51
Escorts Chelyuskinians home, 74
Krasinsky, G. D.
Flight group pilot, radios severe ice conditions, 30
Flies to Wrangel Island, relief mission cancelled, 31
Krenkel, Ernst, radio telegrapher
Makes contact with the coast, 42
Relays news of rescue to Moscow, 69
Tribute, pictured at ice-camp, 71, 71P
Roll of Honour, 87
Krylov, A. N., supports Voronin's doubts, 16
Kudryavtsev, D. I., carpenter, Roll of Honour, 89
Kuibyshev, V.V., Vice-Chairman of Sovnarcom
Supports Chelyuskin voyage, 12
Telegram to Schmidt regarding Litke, 35
Receives telegram from Schmidt, calling for help, 42
Heads special committee, 50
Issues directive, 51
Committee chooses airplanes for rescue attempt, 51
Committee reports success of rescue, 72
Triumphant stroll with Stalin, Kalinin, Kamanin, 75P
With Schmidt and Kamanin, 76P
Signs Hero of Soviet Union telegram, 83
Kukanov, F. K., pilot
Flies to Wrangel Island, relief cancelled, 31, 34
Order of the Red Star, 72
Kulin, N. N., carpenter, Roll of Honour, 89

L

Lyapidevsky, Anatoli, pilot
Based at Anadyr, 51
Makes first rescue, 54-56, 54P, 55P,54M
Hero of the Soviet Union, 72
On the way back by Trans-Sib., 75P
Receives Order of Lenin, Hero of Soviet Union, 77P
Historic anniversary meeting of Chelyuskin pilots, 82P
Telegram from Supreme Soviet, 83
Lappo, S. D., supports Chelyuskin voyage, 12
Laptev Sea, Chelyuskin crossing, 29, 29M
Larsen, Henry, makes Northwest Passage, 10
Lavery, American mechanic
Pictured with Ushakov, 77P
Roll of Honour, Order of Lenin, 86P
Lena, former name of Chelyuskin, 12, 14, 15, 16
Lenin, ice-breaker, in western port, 51
Lenin, modern ice-breaker, 84P
Lenin, O.
Honour ceremonies, 77P
Telegram from Supreme Soviet, 83
Lepikhin, V. S., bartender, Roll of Honour, 89
Leskov, A. Y., seaman, Roll of Honour, 88

Levanevsky, Sigismund A., pilot
Called for rescue attempt, No. 3 Unit, 52
Journey westbound to Alaska, 62, 62P, 62M
Hero of the Soviet Union, 72
On the way back by Trans-Sib., 75P
Receives Order of Lenin, Hereo of Soviet Union, 77P
Telegram from Supreme Soviet, 83
Litke, ice-breaker
Ordered to escort *Chelyuskin*, 16
Unable to help *Chelyuskin* in Laptev Sea, 30
Narrow escape in the pack-ice, 31
Tries to help *Chelyuskin*, 35, 35M
Requires repairs, 51
Lobza, P. G.
Hydro-chemist, 18
Roll of Honour, 87
Lomonosov, N. M., seaman, Roll of Honour, 88

M

Malkhovsky, J. I., stoker, Roll of Honour, 89
Markisov, L. D., student, 18
Markov, G., captains *Krasin* ice-breaker, 16
Markov, M. G., second deputy captain
Pilot-navigator, 18, 73P
Roll of Honour, 87
Markov, Y. L., stoker, Roll of Honour, 89
Martisov, L. D., machinist, Roll of Honour, 88
Marusevich, N. K., mechanical engineer
Senior mechanic, 18
Roll of Honour, 88
Maud, Amundsen's ship, conquers Arctic, 10
Miloslavskaya, T. A., maid (stewardess), Roll of Honour, 89
Mironenko, doctor, put ashore, 86
Miranov, A. Y., journalist, Roll of Honour, 88
Mogilevich, B. G., steward
Killed when *Chelyuskin* sank, 39. 86
Roll of Honour, 88
Molokov, Vasily, pilot
With Papanin expedition, 21, 59
Called for rescue attempt, Unit No.1, 52
Travels to Chukotka, arrives at Vankarem, 56, 56M
Rescues 39 people from ice-camp, 56, 66
Tribute, polar experience, 58, 58P, 59M
Compared to Charles Lindbergh, 59
Hero of the Soviet Union, 72
On the way back by Trans-Siberian Railway, 75P
Receives Order of Lenin, Hero of Soviet Union, 77P
Receives honours from Kalinin, 78P
Celebration in home town, 78P
Senior officer in Air Force, 78P
Historic anniversary meeting of *Chelyuskin* pilots, 82P
Telegram from Supreme Soviet, 83
Molotov, signs Hero of Soviet Union telegram, 83
Morozov, Y. S., cook, Roll of Honour, 88
Mosolov, G. A., diving instructor, Roll of Honour, 88
Mukhanov, L., expedition secretary, put ashore, 86
Murmansk, ice-free port, 20

N

Nansen, Fritjof, Norwegian explorer, 10
Narcomvod, represented on special committee, 50
Nesterov, I. S.
Communist party member, 18
Roll of Honour, 88
Nikitin, doctor
Goes with O.J. Schmidt to Alaska, 67
Roll of Honour, 89
Newspaper, at ice-camp, 47
Nikolaev, Captain of *Litke*, 35
Nikolaev, I. K., stove man, Roll of Honour, 89
Nordenskıöld, Swedish explorer, 10
North Cape, location of evacuation of eight people, 33
North Polar Central Board, initiates *Chelyuskin* voyage, 12
Northeast Passage
The Challenge, 8
Compared to Northwest Passage, 9M
Advantages v. Northwest Passage, 10
Northern Sea/Shipping Route
The Challenge, 8
Comparison with other routes, 11M
Represented on special committee, 50
Modern route, 85M
Northwest Passage
Compared to Northeast Passage, 9M
Insurmountable problems, 10
Novitsky, P. K., photographer, Roll of Honour, 87

P

Panama Canal, route to the Far East, 10
Papanin, expedition to North Pole, 7, 21
Parshinsky, V. L., stoker, Roll of Honour, 89
Pavlov, V.V., deputy to senior deputy captain
Pilot-navigator, 18
Roll of Honour, 87
Petrov, G. G., Station Chief at Cape Severniy
Orders from Kuibyshev, 51
Order of the Red Star, 72
Petrov, P. I., metal worker, Roll of Honour, 88
Philipov, M. G., mechanical engineer, Roll of Honour, 88
Piontkovsky, A. I., mechanical engineer, Roll of Honour, 88
Piper Cub, compared to Polikarpov R-5, 68
Pivenstein, B. A., pilot
Member of No. 1 rescue team, 52
Left at Valkaten, aircraft transferred to Kamanin, 56
Order of the Red Star, 72
Podalko, V. P., navigator of airship, possible rescue plan, 52
Pogosov, Aleksandr, motor mechanic
At reunions in Provideniya, Anadyr, 80P, 81P
Roll of Honour, 89
Polikarpov R-5
Selected for rescue attempt, No. 1 Unit, 52
Unit travels to Chukotka, 56, 56M
Full description, 57, 57MM
Molokov makes fast flight along Yenesei River, 58
Pictured at ice-camp, 65
Stretcher boxes for evacuation, 68, 68P
Compared to Piper Cub and Tiger Moth, 68
Pictured at Vankarem, 70P
Politiken, Danish newspaper, writes obituary to Schmidt, 50
Ponomarev, P. A., captain of Krasin ice-breaker
Rescue attempt, 51
Order of the Red Star, 72
Pravda, newspaper reports success of rescue, 72
Prokopovich, Y. S., construction engineer, 89
Prostianov, weather forecaster, put ashore, 86
Protoprotov, volunteers to help rescue, 50
Provideniya, Chukotka port, site of reunion, 80P
Pushkin, reading material at ice-camp, 47P

R

Rapallo, Treaty of, leads to Ju-F 13 construction in Moscow, 61
Rass, P. G., engineer, Roll of Honour, 88
Red Sea, route to the Far East, 11M
Red Banner of Labour, Order of, awarded to contributors to rescue, 72
Red Square, celebratory parade, 76P
Red Star, Order of, awarded to pilots, crew members, 72
Remov, V.A., engineer, Roll of Honour, 88
Reshetnikov, F. P., artist, 73P
Paintings, 28P, 40P, 66P, 76P
Issues *Ice Crocodile*, 37
Roll of Honour, 87
Rodgers Bay, Wrangel Island, 31, 31M
Royal Canadian Mounted Police, ship makes Northwest Passage, 10
Rudas, A. I., barmaid, Roll of Honour, 89
Rusanov, ship, rendezvous at Vilkitsky Strait, 28
Rumyantsev, I. O., stoker, Roll of Honour, 88
Rytsk, V. I., geologist, Roll of Honour, 87
Rytsk, Z. A.. with husband, Roll of Honour, 87

S

St. Roch, ship makes Northwest Passage, 10
Salnikov, Yuri, author
Reminisces with Fakidov, 81P
Films historic anniversary meeting of *Chelyuskin* pilots, 82P
Sannikov's Land, mystery island, 14
Schmidt, Dr. Otto, leader of the *Chelyuskin* Expedition
Compared to Shackleton, 7
Looks at *Chelyuskin's* plight, 8P
Appointed to lead *Chelyuskin* expedition, 12
Brief biography, 13P
Insists on early start, 16
Visits Uyedineniya Island, 27P
Cancels relief mission, 31
Flies to Wrangel Island, 34
Reports to *Litke* captain, 35
Sends telegram to Uelen, reporting sinking of *Chelyuskin*, 38
Among last to leave sinking ship, 39
Sends telegram for help, 42
Danish newspaper writes obituary, 50
Seriously Ill with pleurisy, evacuated by Slepnev, 67, 67M
With Kuibyshev and Kamanin, Moscow, 76
Roll of Honour, 86-87, 86P
Schrader, Ludmilla
Radio operator at Uelen, 69, 71P
Order of the Red Banner of Labour, 72
Sednev, P.V., captain of *Stalingrad* ship, 74
Sedov, icebreaker
To Franz Josef Land, 13 (P), 14(P)
Visit to Uyedineniya Island, 27
Assists *Chelyuskin*, 28
Rendezvous at Vilkitsky Strait, 28P
Selvinsky, Il'ya, writer, poet
Helps with coal transfer, 24P
Put ashore, 86
Semyenov, S., author, expedition secretary
Reports on *Litke's* problems, 35
Roll of Honour, 87
Sergeyev, J. V., seaman, Roll of Honour, 88
Sergeyev, P. S., cook, Roll of Honour, 88
Shackleton, Ernest
Epic Antarctic survival, 7
Compared to *Chelyuskin* voyage, 8
Shafran, Arkady, cameraman
At Order of Lenin celebration, 77P
Roll of Honour, 87
Shandrikov, N. P., comments on *Chelyuskin's* construction, 16
Shavrov Sh-2, seaplane
Tribute, 7, 19
Hoisted on board, 18P
World's first ice patrols, 26
Locates ice-free water, 28, 32
Full description, 29, 29MM
Unloaded from *Chelyuskin*, 36P
Repaired, flies to mainland, 60, 64, 64P
Displayed in Arctic-Antarctic Museum, St. Petersburg, 64
Pictured at Vankarem, 70P
Shelyganov, Kamanin's navigator, 57P
Shirshov, P. P.
Hydro-biologist, 18
Roll of Honour, 87
Shishlianov, suggestion for rescue, 50
Shpakovsky, N. N., aerologist
Aerologist, 18
Roll of Honour, 87
Shusha, A.D., ship's carpenter, Roll of Honour, 89
Siberiakov, ice-breaker
Ship conquers Arctic, 10
Precedes *Chelyuskin* voyage, 12, 14(P), 15
Rendezvous at Vilkitsky Strait, 28
Suez Canal, route to the Far East, 10
Sintsov, V. M., seaman, Roll of Honour, 88
Skvortsov, P. N., carpenter, Roll of Honour, 89
Slepnev, Mavriki T., pilot
Called for rescue attempt, No. 3 Unit, 52
Journey westbound to Alaska, 62, 63P, 62M
Rescues 34 people from ice camp, 56, 57
First to arrive for rescue, 66
Evacuates O.J. Schmidt to Alaska, 67, 67M
Hero of the Soviet Union, 72
On the way back by Trans-Sib., 75P
Receives Order of Lenin, Hero of Soviet Union, 77P
Telegram from Supreme Soviet, 83
Smirnov, P.I., expedition chief
Krasin rescue attempt, 51
Order of the Red Star, 72
Smoke signals, at ice-camp, 53, 53P
Smolensk, ship
Carries Unit No.1 rescue team to Chukotka, 52
Carries Chelyuskinians home, 74, 74P, 74M, 79M
"Soft" ice, 23P, 25P
Sorokin, P.N., carpenter, Roll of Honour, 89
Sovnarcom, forms special committee, 50
Sromilov, radio operator, put ashore, 86
Stakhonov, V.S.
Zoologist, 18
Roll of Honour, 87
Stalin
Triumphant stroll with Kamanin, Kuibyshev, 75P
Signs Hero of Soviet Union telegram, 83
Stalin, ship rendezvous at Vilkitsky Strait, 28P
Stalingrad, ship, arrives at Uelen, 74, 74P
Sushkina, Anna, ichthyologist
At reunions in Provideniya, Anadyr, 80P, 81P
Roll of Honour, 87
Stowaway, on board, 22

T

Taymyr, ice-breaker, crosses Arctic, 10
Tiger Moth, de Havilland aircraft, compared to Polikarpov R-5, 68
Tkach, M. K., seaman, Roll of Honour, 88
Toikin, F. P., mechanical engineer, Roll of Honour, 88
Trans-Siberian Railway
Distance from Chukotka, 8, 52M
Transports Unit No.1 rescue team, 52
Carries the Chelyuskinians home, 74, 75P
Completion of Grand Tour, 79M
Relationship with Northern Sea Route, 85M
Troyanovsky, M., cameraman, put ashore, 86
Tupolev, A. N., designer of ANT-4, (54P)

U

United States, size compared to eastern Siberia, 52M
Unschlicht, I. S., member of special committee, 50
Ushakov, G. A., Committee representative, Arctic Explorer
Member of Unit No. 3 rescue team, 52
Goes to ice-camp with Slepnev, 66
Recommends evacuation of O.J. Schmidt, 67, 67P
Order of the Red Star, 72
With Armisted and Lavery, American mechanics, 77P
Uyedineniya Island, *Chelyuskin* visits, 27, 26P-27P, 27M

V

Vaga, Vasili, captain of *Smolensk*, 72
Order of the Red Star, 72
Valavin, G.S., flight engineer
Babushkin's mechanic, 64
Roll of Honour, 88
Vankarem, nearest settlement to ice-camp
Destination for Unit No. 1, 56, 56M
Destination for Unit No. 2, 60, 60M
Airfield prepared and maintained, 64
O.J. Schmidt evacuated, 67, 67M
Picture with dog-teams, 69P
Scene with rescue aircraft, 70
Vaygach, ice-breaker, crosses Arctic, 10
Vasilev, V. G., land surveyor, Roll of Honour, 89
Vasilyeva, Dorothea, Karina's mother
Baby born on the Kara Sea, 23, 26
Recued from ice-camp, 54P
At reunion at Anadyr, 81P
Roll of Honour, 89
Vega, Nordenskıöld's ship, 10
Vilkitsky Strait, Chelyuskin rendezvous with other ships, 28P
Vinogradov, B. S., navigator
Pilot-navigator, 18
Roll of Honour, 87
Vodopyanov, Mikhail, pilot
With Papanin expedition, 21
Called for rescue attempt, No. 2 team, 52
Pioneer on route to Sakhalin, 52
Flies to Vankarem, 60, 61P, 60P
Hero of the Soviet Union, 72
On the way back by Trans-Siberian Railway, 75P
Receives Order of Lenin, 77P
Telegram from Supreme Soviet, 83
Voronin, Captain V.I., Captain of the *Chelyuskin*
Tribute to seamanship, 7
Looks at *Chelyuskin's* plight, 8P
Captains *Syedov* to Franz Josef Land, 13 (P)
Brief biography, 14P
Recommends plan for voyage, 14
Expresses doubts about the ship, 16, 18
Makes world's first ice patrols, 26
Takes *Chelyuskin* through Sarnikov Strait, 29
Reports heavy ice in Chukchi Sea, 31
Reports unloading of Wrangel Island supplies, 36
Last off the sinking *Chelyuskin*, 38P, 39
Makes last entry in log-book, 70
Roll of Honour, 87
Voronin, P. I., carpenter, Roll of Honour, 89
Voroshilov, signs Hero of Soviet Union telegram, 83

W

Wall newspaper, at ice-camp, 47
Wrangel Island
Relief party prepares, 8, 10
Relief mission cancelled, 31, 31M
Provisions inventoried for unshipment, 36
Stores unloaded for ice-camp, 42
Relief Party, Roll of Honour, 89

Y

Yamal, modern ice-breaker, 84
Yeermilov, G. P., stoker, Roll of Honour, 89
Yevghenov, N. I., on *Krasin* rescue attempt, 51
Yuganov, A. I., carpenter, Roll of Honour, 89
Yulev, A., stoker, Roll of Honour, 89

Z

Zadorov, V. A., party secretary
Machinist, 18
Roll of Honour, 87
Zagorsky, A. A., boatswain, Roll of Honour, 88
Zhdanov, signs Hero of Soviet Union telegram, 83
Zverev, A. I., cook, Roll of Honour, 89

Алфавитный указатель «Челюскина»

P = Фотография

М = карта

ММ = чертеж Майкла Мачата

АМТОРГ, Советская торговая организация покупает самолеты, 52, 63

Матусевич Н.К., инженер-механик
  Главный механик, 18
  Почетный список, 91

А

Агапитов В. М., пекарь, Почетный список, 92
Агафонов А.Н. кочегар, Почетный список, 92
Амундсен Руаль, путешествие по Северо-Западному проходу, 10

АНТ-4
  Выбор самолетов для спасательной операции, 52
  Лапидевский делает первый рейс, 54-55, 54Р, 54М
  Полное описание, 55, 55Р, 55ММ
  Шасси повреждено, 60
  Снимок в Провидении, 65Р

Алокин, А. П.
  Студент, 18
  Почетный список, 91

Армистид Клойд, Американский механик
  Вместе с Ушаковым, /Р
  Почетный список, Орден Ленина, 86Р

Б

Бабушкин Михаил
  Пилот гидросамолета «Шавров-Ш-2», 18Р, 19
  Помогает перегружать уголь, 24Р
  Первые в мире полеты ледовой разведки, 26
  Находит открытую воду, 28, 32
  Опыт спасательных операций, 51
  «Шавров-Ш-2» починен, полет на материк, 60, 64
  Почетный список, 90

Баевский И.Л., назначен помощником Шмидта, 12
Баевский Илья, зом.начальника экспедиции,
  Почетный список, 90
Байкало-Амурская магистраль (БАМ), 85М
Баранов В.М., плотник, Почетный список, 92
Баранов Г.С., матрос, Почетный список, 91
Баренц Виллем, голландский путешественник, 10
Баренцево море, «Челюскин» пересекает, 21М
Бармин В. Ф., машинист, Почетный список, 91

Бастанжиев Б.В. летчик
  Член спасательной команды №1, 52
  Самолет поврежден, отстал, 56
  Авария, переход в Анадырь, 56
  Орден Красной Звезды, 72

Безэйс П.И., отказывается быть капитоном, 16
Белопольский Л.О., зоолог, Почетный список, 90
Белорусский вокзал, Москва приветствует Челюскинцев, 75Р
Березин Д.И., печник, Почетный список, 92
Березин М.И., печник, сын Д.И., Почетный список, 92
Беринг Витус, Дотский путешественник, 10
Берингов пролив, достигает «Челюскиным», 34
Берлинер Тагеблатт, немецкая газета рассуждает о судьбе «Челюскина», 50

Бирнхэм, капитан дирижабля, план спасения, 52

Бобров Алексей Н.
  Машинист, заместитель О.Ю.Шмидта, 18
  Принимает командование после болезни О.Ю. Шмидта, 67, 69, 69Р
  Телеграммы в Москву об успехе операции, 70
  Почетный список, 86Р, 90

Бочек А.П.
  Капитан ледокола «Литке», 16
  Получает сообщение от О.Ю.Шмидта, 35

Буйко (Быко) П.С., начальник полярной станции летит на о.Врангеля, 31, 34
  Портрет, 73Р
  Почетный список, 92

Буйко (Быко) семейство на льдине, 46Р
Буйко Алла плывет с родителями, Почетный список, 86, 86Р, 92
Буйко Л.Ф., супруга П.С.Буйко, Почетный список, 92
Бураков Е.Н., горничная, Почетный список, 92
Бурмейстер и Вейн строит «Лену»\«Челюскин», 16
Бутаков Н.С., кочегар, Почетный список, 92

В

Вага Василий, капитан «Смоленска», 72
  Орден Красной Звезды, 72
Валавин Г.С., пилот-инженер механик Бабушкина, 64
  Почетный список, 91

Ванкарем, ближайший к ледовому лагерю населенный пункт
  Пункт назначения спас.отряда №1, 56, 56М
  Пункт назначения спас.отряда №2, 60, 60М
  Летное поле расчищено и подготовлено, 64
  О.Ю.Шмидт эвакуирован, 67, 67М
  Фото собачьих упряжек, 69Р
  Самолет-спасатель, 70

Васильев В.Г., топограф, почетный список, 92

Васильева Доротея, мать Карины
  Рождение ребенка в Карском море, 23, 26
  Снята со льдины, 54Р
  На встрече в Анадыре, 81Р
  Почетный список, 92

ВВС главного управления, представительство в спец.комитете, 50

Вега, корабль Норденшельда, 10

Взлетные полосы, подготовка на льдине, 53
Взрывчатка, попытки пробиться во льдах, 32
Взрывы, попытки пробиться сквозь льды с помощью взрывчатки, 32Р

Вилкицкий пролив, встреча «Челюскина» с другими кораблями, 28

Виноградов Б.С., штурман
  Пилот-штурман, 18
  Почетный список, 92

ВНИИ Арктики, определяет основные задачи «Челюскина»

Водопьянов Михаил, летчик
  С экспедицией Папанина, 21
  В составе спас.отряда № 2, 52
  Первый на пути на Сахалин, 52
  Летит на Ванкарем, 60, 61Р, 60Р

Герой Советского Союза, 72
На обратном пути по Транссиб.магистрали, 75Р
Получает Орден Ленина, 77Р
Телеграмма от Верховного Совета, 83
Воздушное подразделение, план спасения, 52

Воронин В.И., капитан «Челюскина»
  Дань уважения мастерству, 7
  Смотрит на тонущий «Челюскин», 8Р
  Командует «Седовым» на пути к Земле Франца Иосифа, 13 (Р)
  Краткая биография, 14Р
  Составляет план путешествия, 14
  Сомнения в пригодности корабля, 16, 18
  Первая в мире ледовая разведка, 26
  Проводит «Челюскин» через пролив Санникова, 29
  Сообщает о нагромождении льдов в Чукотском море, 31
  Сообщает о выгрузке припасов для о. Врангеля, 36
  Последний на тонущем «Челюскине», 38Р, 39
  Делает последнюю запись в бортовом журнале, 70
Воронин П.И., плотник, Почетный список, 92
Ворошилов подписывает телеграммы героям Советского Союза, 83
Восточно-Сибирское море, путь «Челюскина», 33М

Г

Газета «Правда» сообщает об успешном спасении, 72
Газета в ледовом лагере, 47

Гаккель Я.Я., топограф-геодезист
  Присоединяется к экспедиции, 12, 18
  Детально описывает потопление «Челюскина», 41
  Почетный список, 90

Галышев В.Л., пилот
  Во главе спас. команды №2, 52
  Самолет поврежден, остается в Анадыре, 60
  Орден Красной Звезды, 72

Герои Советского Союза
  Звание присуждается летчикам, 72
  Торжественная церемония, 77Р
  Телеграмма от Верховного Совета, 83

Годин, И., старпом
  Главный помощник, 18
  Следит за повреждением корпуса корабля, 32

Голубев В.С., плотник, Почетный список, 92
Гордеев В.К., техник-подрывник., Почетный список, 90
Горелов, штурман Каманина, 56
Горская Александра, горничная
  Портрет, 73Р
  Почетный список, 92
Горького улица, Москва, праздничный парад, 76Р
Грибалкин, штурман Каманина, 81Р
Громов Борис
  Корреспондент «Известий», 12
  Почетный список, 90
Громов В.И., кочегар, Почетный список, 92

Громов Михаил
  Перелет через полюс, 7

Герой Советского Союза, 72
На обратном пути по Транссиб.магистрали, 75Р
Получает Орден Ленина, 77Р
Телеграмма от Верховного Совета, 83
Гуревич, В.Е, механик-моторист, Почетный список, 92
ГУСМП инициирует экспедицию «Челюскина», 12

Д

Данилкин, кочегар, отправлен на берег, 86

Демиров И.М., пилот
  Член спас. команды №1, 52
  Вернулся из-за плохой видимости, 56
  Авария, путь в Анадырь, 56
  Орден Красной Звезды, 72
Дерасов Г.И., матрос, Почетный список, 91
Дормидонтов Н.К., согласен с Ворониным, 16

Доронин Иван, пилот
  На помощь. Спас. команда №2, 52
  Летит в Ванкарем, 60, 61Р, 60М
  Герой Советского Союза, 72
  На обратном пути по Транссибирской магистрали., 75Р
  Получает Орден Ленина, звание Героя Советского Союза, 77Р
  Телеграмма от Верховного Совета, 83
Дымовые сигналы из ледового лагеря, 53, 53Р

Е

Евгеньев Н.И., во время спас. операции «Красину», 51
Ермилов Г.П., кочегар, Почетный список, 92

Ж

Жданов подписывает телеграмму Героям Советского Союза, 83

З

Загорский А. А., боцман, Почетный список, 91
Задоронов В.А., секретарь парторганизации Машинист, 18
  Почетный список, 90
Залив Роджерса, остров Врангеля 31, 31М
Заяц на борту, 22
Зверев А.К., кок, Почетный список, 92
Земля Андреева, загадочный остров, 14

И

Иванов С.А., радист, Почетный список, 91
Иванов, моторист-механик, Почетный список, 91
Ивонюк В.В., плотник, Почетный список, 91
Известия, интервью газете, 12
Иоффе С.С., член чрезвычайной комиссии, 50

Й

Йоа, корабль Амундсена, 10

К

Калинин
  Почетный марш со Сталиным, Каманиным, Куйбышевым, 75Р
  Вручает награды Василию Молокову, 78Р

Каманин Николай, летчик
  Вызов на спас. работы, 52
  Во главе команды № 1, 52
  Ведет звено на Чукотку, 56, 56Р, 56М
  Снимает со льдины 34 человек, 56, 57Р, 66
  Герой Советского Союза, 72
  На обратном пути по Транссиб. магистрали, 75Р
  Орден Красной Звезды, 72

Почетный марш с тов. Сталиным, 75Р
Со Шмидтом и Куйбышевым, 76Р
Получает Орден Ленина, звание Героя Советского Союза, 77Р
Историческая юбилейная встреча летчиков «Челюскина», 82Р
Телеграмма от Верховного Совета, 83

Каменев С.С. призывает Кремль создать комиссию, 50
Канадская Королевская конная полиция, корабль проходит Северо-западный путь, 10
Канцин А.А., пом. стюарда, Почетный список, 91

Карина Васильева
  Рождение в Карском море, 23, 26
  Спасение со льдины, 54Р
  На встрече в Анадыре, 81Р
  Почетный список, 86Р, 92

Карпов Владимир, писатель, интервью с пилотами «Челюскина», 82
Карское море, переход «Челюскина», 23М
Киселев С.Н., кочегар, Почетный список, 92
Клач М. К., матрос, Почетный список, 92
Козлов Н.С., кок, Почетный список, 92
Козмин К.Ф., кочегар, Почетный список, 92
Колесниченко А.С., инженер-механик
  Студент,18
  Почетный список, 91
Колнер, инженер-электрик, 86
Комов Н.Н., метеоролог, ученый-исследователь
  Почетный список, 90
Комов Н.Н., ученый, 18
Комова О.Н., метеоролог
  Супруга Комова, 18, /3Р
  Почетный список, 90

Копусов И.А.
  Назначен замом Шмидта, 12
  Почетный список, 90

Красинский Г.Д.
  Пилот летного звена, суровые ледовые условия, 30
  Летит на о. Врангеля. Высадка поселенцев отменена, 31
Красная площадь, торжественный парад, 76Р
Красное море, путь на Дальний Восток, 11М

Кренкель Эрнст, радист-телеграфист
  Устанавливает связь с материком, 42
  Передает новость о спасении в Москву, 69
  Дань уважения. Фото из ледового лагеря, 71, 71Р
  Почетный список, 90

Крылов А.Н., согласен с Ворониным, 16
Кудрявцев Д.И., плотник, Почетный список, 91

Куйбышев В.В., Зам.председателя Совнаркома
  Поддержка идеи путешествия, 12
  Телеграмма Шмидту по поводу «Литке», 35
  Получает телеграмму о с просьбой о помощи от Шмидта, 51
  Во главе Чрезвычайной комиссии, 50
  Издает директиву, 51
  Комиссия выбирает самолет для спасательной операции, 51
  Комиссия сообщает об успешном спасении, 72
  Триумфальный марш со Сталиным, Калининым, Каманиным, 76Р
  Со Шмидтом и Каманиным, 76Р
  Подписывает телеграмму о звании Героя, 83

Куканов Ф.К., пилот
  Летит на Врангель, высадка отменена, 31, 34
  Орден Красной Звезды, 72

Кукушкин Б.А., кочегар, Почетный список, 92
Купин Н.Н., плотник, Почетный список, 92

Л

Лапидевский Анатолий, пилот
  База в Анадыре, 51
  Совершает первый спасательный рейс, 54-56, 54Р, 55Р,54М
  Герой Советского Союзое, 72
  На обратном пути по Транссиб. магистрали, 75Р
  Получает Орден Ленина, звание Героя, 77Р
  Историческая юбилейная встреча пилотов «Челюскина», 82Р
  Телеграмма от Верховного Совета, 83
Лаппо С.Д., поддерживает идею путешествия, 12
Ларсен, Генри проходит Северо-западным путем, 10

Леваневский Сигизмунд, пилот
  Вызван для проведения операции, команда №3, 52
  Путешествие на запад до Аляски, 62, 62Р, 62М
  Герой Советского Союза, 72
  На обратном пути по Транссиб. магистрали, 75Р
  Получает Орден Ленина, звание Героя СССР, 77Р
  Телеграмма от Верховного Совета, 83

Ледовый лагерь
  Расположение, 37М
  Установка лагеря и спас. работы, 42-43, 42Р, 43Р
  Обустройство, 44, 44Р
  Жилищные условия, 45, 45Р
  Жизнь в лагере, 46Р
  Развлечения, 47Р
  Научные наблюдения, 48, 48Р
  Полевая кухня, 48, 48Р
  Проблемы с ледяными торосами, 49, 49Р
  Подготовка спас. операции с воздуха, 53, 53Р
  Окончательная эвакуация, 66, 66Р
  Прощальный взгляд, 70Р

Ледокол «Таймыр» пересекает Северный Ледовитый океан, 10
Ледокол «Вайгач» пересекает Северный Ледовитый океан, 10
Ледокол «Елизаров» вызвался помочь, 50
Ледокол «Ермак», ускорение ремонта в западном порту, 51

Ледокол «Красин»
  Приказ сопровождать «Челюскин», 16
  Фото с «Челюскиным», 20Р
  Перегрузка угля с «Челюскина», 24-25, 24Р, 25Р
  Разбивает «Мягкий» лед, 28Р
  Встреча в проливе Вилькицкого, 28Р
  Винтовая лопасть сломана, 30
  В западном порту готовится к отплытию, 51
  Выходит из Кронштадта, 51
  Сопровождает Челюскинцев домой, 74

Ледокол «Ленин» в западном порту, 51

Ледокол «Литке»
  Приказ сопровождать «Челюскин», 16
  Не может помочь в море Лаптевых, 30
  Опасный проход в ледяных торосах, 31
  Попытки помочь «Челюскину», 35, 35М
  Требует ремонта, 51

Ледяная «трясина», 32
Ледяной крокодил, стенгазета лагеря, 37
Лена, первое название «Челюскина», 12, 14, 15, 16

Ленина Орден
  Торжественные церемонии, 77Р
  Телеграмма от Верховного Совета, 83

Лепихин В.С., бармен, Почетный список, 92
Лесков А. А. Е., матрос, Почетный список, 91
Лобза П.Г., гидрохимик, 18
Почетный список, 90
Ломоносов Н.М., матрос, Почетный список, 91
Лэвери, американский механик
На фото с Ушаковым, 77Р
Почетный список, Орден Ленина, 86Р

М
Мальховский, И.И., кочегар, Почетный список, 92
Маркизов Л.Д., студент, 18
Марков Г., капитан ледокола «Красин», 16
Марков Е.Л., кочегар, Почетный список, 92
Марков М.Г., второй помощник капитана
Пилот-штурман, 18, 73Р
Почетный список, 90
Мартисов Л.Д., машинист, Почетный список, 91
Милославская Т. А., горничная
Почетный список, 92
Мироненко, врач, отправлен на берег, 86
Миронов А. Ю., журналист, Почетный список, 91
Могилевич Б.Г., стюард
Погиб, когда «Челюскин» затонул 39. 86
Почетный список, 91
Мод, корабль Амундсена покоряет Арктику, 10
Молоков Василий, пилот
С экспедицией Папанина, 21, 59
Вызов для участия в операции, команда №1, 52
Едет на Чукотку, прибывает на Ванкарем, 56, 56М
Спасает 39 человек со льдины, 56, 66
Память, полярный опыт, 58, 58Р, 59М
Сравнение с Чарльзом Линдбергом, 59
Герой Советского Союза, 72
На обратном пути по Транссиб. магистрали, 75Р
Вручение Ордена Ленина, звания Героя СССР, 77Р
Вручение наград Калининым, 78Р
Праздник в родном городе, 78Р
Высший офицер ВВС, 78Р
Историческая юбилейная встреча пилотов «Челюскина», 82Р
Телеграмма от Верховного Совета, 83
Молотов подписывает телеграмму о звании героя СССР, 83
Море Лаптевых, «Челюскин» пересекает, 29, 29М
Морозов, Ю. С., кок, Почетный список, 91
Мосолов Г.А., инструктор-подводник,
Почетный список, 91
Мурманск, незамерзающий порт, 20
Муханов Л., секретарь экспедиции,
отправлен на берег, 86
Мыс Доброй Надежды, путь на Дальний Восток, 11М
Мыс Северный, место высадки 8 пассажиров, 33
Мягкий лед, 23Р, 25Р

Н
Нансен Фритьоф, норвежский исследователь, 10
Наркомвод, в чрезвычайной комиссии, 50
Нестеров И.С.
Член КПСС, 18
Почетный список, 91
Никитин, врач
Едет со Шмидтом на Аляску, 67
Почетный список, 92
Николаев И.К., печник, Почетный список, 92
Николаев, капитан «Литке», 35
Новицкий П.К., фотограф, Почетный список , 90
Норденскольд, шведский исследователь, 10

О
Организаторы экспедиции, Почетный список, 90
Ордена Красной Звезды вручены
летчикам-спасителям, 72
Ордена Трудового Красного Знамени вручены
участникам спасательной операции, 72
Остров Врангеля
Подготовка поселенцев, 8, 10
Высадка поселенцев отменена, 31, 31М
Инвентаризация имущества перед выгрузкой, 36
Выгрузка на лед, 42
Команда, отправлявшаяся на о. Врангеля, Почетный список, 92
Остров Колючин, снимок дрейфа «Челюскина», 32
Остров Комсомольск, путь преградили льды, 28

П
Павлов В.В., зам.старпома капитана
Пилот штурман-, 18
Почетный список, 90
Пайпер Каб по сравнению с «*Поликарповым Р-5*», 68
Панамский канал, путь на Дальний Восток, 10
Папанин, экспедиция на Северный полюс, 7, 21
Паршинский В.Л., кочегар, Почетный список, 92
Пентковский А.И., инженер-механик,
Почетный список 91
Петров Г.Г., начальник станции на мысе Северный
Указания Куйбышева, 51
Орден Красного Знамени, 72
Петров П.И., металлург, Почетный список, 91
Пивенштейн Б.А., пилот
Член спас. команды №1, 52
Отстал на пути в Ванкарем, самолет передан Каманину, 56
Орден Красной Звезды, 72
Пликарпов-Р-5
Выбор самолета для спас. операции в команде №1, 52
Спас.отряд едет на Чукотку, 56, 56М
Полное описание, 57, 57ММ
Молоков летит в верховья Енисея, 58
Снимок в ледовом лагере, 65
Носилки для эвакуации, 68, 68Р
Сравнение с «*Пайпер Каб*» и «*Тайджер Моз*», 68
Фото на Ванкареме, 70Р
Погосов Александр, механик
На встрече в Провидении, Анадыре, 80Р, 81Р
Почетный список, 92
Подалко В.П., штурман воздушного подразделения
вариант плана спас.операции, 52
Политикен, датская газета печатает некролог Шмидта, 50
Пономарев П.А., капитан ледокола «*Красин*»
Спас. роботы, 51
Орден Красной Звезды, 72
Провидения, Чукотский порт, место памятной встречи, 80Р
Прокопович Е.С., инженер-конструктор, 92
Простянов, метеоролог, высажен на берег, 86
Протопопов вызвался на помощь, 50
Пушкин, чтение в ледовом лагере, 47Р

Р
Рапальский договор, строительство «*Юнкерс-Ф-13*» в Москве, 61
Расс П.Г., инженер, Почетный список, 91
Ремов В.А., инженер, Почетный список, 91
Решетников Ф.П., художник, 73Р
Картины, 28Р, 40Р, 66Р, 76Р
Выпускает журнал «*Ледовый Крокодил*», 37
Почетный список, 90
Рудас А. И., буфетчица, Почетный список, 92
Румянцев И.О., кочегар, Почетный список, 91
Русанов, корабль, встреча в проливе Вилкицкого, 28
Рыцк В.И., геолог, Почетный список, 90
Рыцк З.А.. с мужем, Почетный список, 90

С
Сальников Юрий, автор
Вспоминает вместе с Факидовым, 81Р
Снимает историческую юбилейную встречу пилотов «Челюскина», 82Р
Самолет «*Тайджер Моз*» в сравнении с «*Поликарповым-Р-5*», 68
Самолеты **«Флитстеры»**
Закуплены Амторгом для спасательной операции, 52
Полет с Аляски на Чукотку, 62-63, 62Р, 63Р
Полное описание, 63, 63ММ
История самолета, двойная регистрация, 63
Первыми прилетели на льдину, 65Р, 66
Санникова земля, загадочный остров, 14
Св. Рох, корабль проходит по Северо-западному пути, 10
Северо-восточный проход
Смелый вызов, 8
Сравнение с Северо-западным проходом, 9М
Преимущества Северо-восточного пути, 10
Северо-западный проход
Сравнение с Северо-восточным проходом, 9М
Непреодолимые препятствия, 10
Североморский путь
Смелый вызов, 8
Сравнение с другими путями, 11М
Обсуждение на чрезвычайной комиссии, 50
Современный путь, 85М
Седнев П.В., капитан корабля «Сталинград», 74
Седов, ледокол
К Земле Франца Иосифа, 13 (Р), 14(Р)
Прибытие на о. Уединения, 27
Помогает «*Челюскину*», 28
Встреча в проливе Вилкицкого, 28Р
Сельвинский Илья, поэт, писатель
Помогает грузить уголь, 24Р
Отправлен на берег, 86
Семенов С., писатель, секретарь экспедиции
Сообщает о проблемах «*Литке*», 35
Почетный список, 90
Сергеев П.С., кок, Почетный список, 91
Сергеев Я.В., матрос, Почетный список, 91
Сибиряков, ледокол
Покоряет Арктику, 10
Предворяет путешествие «*Челюскина*», 12, 14(Р), 15
Встреча в проливе Вилкицкого, 28
Суэцкий канал, путь на Дальний Восток, 10
Синцов В.М., матрос, Почетный список, 91
Скворцов П.Н., плотник, Почетный список, 92
Слепнев Маврикий Т., пилот
Призван на спас. операцию команда №3, 52
Путешествие на запад через Аляску, 62, 63Р, 62М
Спасает 34 человека из ледового лагеря, 56, 57
Первым приходит на выручку, 66
Эвакуирует О.Ю.Шмидта на Аляску, 67, 67М
Герой Советского Союза, 72
На обратном пути по Транссиб. магистрали., 75Р
Получает Орден Ленина и звание Героя, 77Р
Телеграмма от Верховного Совета, 83
Смирнов П.И., руководитель экспедиции
«*Красин*» высылают на помощь, 51
Орден Красной Звезды, 72
Смоленск, корабль
Привозит спас. отряд №1 на Чукотку, 52
Доставляет Челюскинцев домой, 74, 74Р, 74М, 79М
Собаки и упряжки
Эвакуации с мыса Северный, 33
Возможность использования в спас. операциях, 51Р
Летят на «*Флитстере*» Слепнева на льдину, 65, 66
В Ванкареме, 69Р, 72Р
Неизвестная, 73Р
Везут путешественников в Уэлен, 74М, 79М
Совнарком образует специальный комитет, 50
Современный ледокол «*Ленин*», 84Р
Сорокин П.Н., плотник, Почетный список, 92
Сромилов, радист, высаживается на берег, 86
Сталин
Триумфальный марш с Каманиным и Куйбышевым, 75Р
Подписывает телеграмму о присвоении звания Героев Советского Союза, 83
Сталин, корабль, встреча в проливе Вилкицкого, 28Р
Сталинград, корабль, прибывает на Уэлен, 74, 74Р
Стаханов В.С., зоолог, 18
Почетный список, 90
Стенгазета ледового лагеря, 47
Сушкина Анна, ихтиолог
На встречах в Провидении, Анадыре, 80Р, 81Р
Почетный список, 90
США, размер по сравнению с Восточной Сибирью, 52М

Т
Тойкин Ф.П.., инженер-механик, Почетный список, 91
Транссибирская магистраль
Расстояние до Чукотки, 8, 52М
Доставка Спас. отряда №1 , 52
Везет Челюскинцев домой, 74, 75Р
Завершение большого пути, 79М
Положение по отношению к СМП, 85М
Трояновский М., оператор, отправлен на берег, 86
Туполев А.Н., конструктор АНТ-4, (54Р)

У
Уголь перегружают на ледокол «*Красин*», 24Р, 25Р
Уединения остров, приход «*Челюскина*», 27, 26Р-27Р, 27М
Уншлихт И.С., член чрезвычайной комиссии, 50
Ушаков Г.А., представитель Комиссии,
Исследователь Арктики, член спасотряда №3, 52
Едет в ледовый лагерь вместе со Слепневым, 66
Настаивает на эвакуации О.Ю.Шмидта, 67, 67Р
Орден Красной Звезды, 72
С американскими механиками Армистидом и Лэвери, 77Р

Ф
Факидов И.Г., инженер
Следит за повреждением корпуса «*Челюскина*», 32
Работа в экстремальных условиях, 38
Портрет, 73Р
Воспоминания с Юрием Сальниковым, 81Р
Почетный список, 90
Фентин С.П., машинист, Почетный список, 91
Филиппов М. Г., студент, 18
Филиппов М.Г., инженер-механик,
Почетный список 91
Флитстер, самолет
(см. самолеты «Флитстеры»)
Фокстимме, немецкая газета, переживания по поводу судьбы «*Челюскина*», 50
Футбол в ледовом лагере, 47

Х
Харкевич А.В., водолаз, Почетный список, 91
Хворостянский Н.Н., начальник станции Уэлен
Получает телеграмму от Шмидта, 42
Приказ Куйбышева, 51
Возможность спас. операции на собаках, 51
Орден Трудового Красного Знамени, 72
Хлебников Ю.К., капитан «Сибирякова», 28
Хмызников, П.К., гидрограф, 18
Почетный список, 90

Ч
Челюскин С.Л., русский путешественник, 10
Челюскин
Вызов, 8
По следам «*Сибирякова*», 10
Главные задачи определены, 13
Описание корабля 15Р
Недостатки ледокола, 16, 18
Весь путь, 17М
Выходит из Ленинграда, 18-19, 19Р
Переход Ленинград-Мурманск, 19М
Загрузка, 19
Фотография с ледоколом «*Красин*», 20Р
Проходит Баренцево море, первый лед, 21, 21М
Течи в корпусе, 22Р
Проходит Карское море, 23М
Перегрузка угля на «*Красин*», 24-25, 24Р, 25Р
Путь закрыт у Комсомольского острова, 28
Входит в пролив Бориса Вилкицкого, 28
Проходит море Лаптевых через пролив Санникова, 29, 29М
Суровая ледовая обстановка, 30Р
Входит в Чукотское море, 31, 31М
Попытки пробить лед взрывами, 32
Освобождение из ледяного капкана, 33
Достигает Берингов пролив, 34
Предложение помощи от «*Литке*», 35, 35М
Рулевое управление повреждено, дрейф, 36
Вокруг Чукотского моря, окончательно застряли, 37, 37М
Шмидт сообщает о потоплении, 38
Корабль тонет, 39-41, 39Р, 40Р, 41 (рисунок)
Команда, Почетный список, 90
Чкалов перелет через полюс, 7
Чукотка, конвой грузовиков с шахт, 84Р
Чукотское море, препятствия продвижению «Челюскина», 31
Чукчи
Помощь при эвакуации на мысе Северный, 33
Подготовка аэродрома в Ванкареме, 64
Портрет неизвестного, 73

Ш
Шавров-Ш-2, гидросамолет
День уважения, 7, 19
Размещен на борту, 18Р
Первые в истории ледовые развед.вылеты, 26
Находит открытую воду, 28, 32
Полное описание, 29, 29ММ
Выгружен с «*Челюскина*» на льдину, 36Р
После ремонта летит на материк, 60, 64, 64Р
Выставлен в музее Арктики и Антарктики в С-Петербурге, 64
Фото на Ванкареме, 70Р
Шандриков Н.П., замечания по конструкции «Челюскина», 16
Шафран Аркадий, оператор
Во время торжественного вручения Ордена Ленина, 77Р
Почетный список, 90
Шахматы, игра в ледовом лагере, 47Р
Шеклтон Эрнест
Эпическое выживание в Арктике, 7
Сравнение с путешествием «*Челюскина*», 8
Шелыганов, штурман Каманина, 57Р
Ширшов П.П., гидробиолог, 18
Почетный список, 90
Шишлианов, предложения по спасению, 50
Шмидт Отто, д-р. руководитель экспедиции *«Челюскина»*
Сравнение с *Шеклтоном*, 7
Смотрит на тонущий «Челюскин», 8Р
Назначен начальником экспедии на «Челюскине», 12
Краткая биография, 13Р
Настаивает на скорейшем отправлении, 16
Приезд на о. Уединения, 27Р
Отменяет высадку на Врангеле, 31
Летит на о. Врангеля, 34
Сообщение для капитана «*Литке*», 35
Телеграмма на Уэлен о гибели «*Челюскина*», 38
Последним покидает тонущий корабль, 39
Телеграмма с просьбой о помощи, 42
Датская газета печатает некролог, 50
Серьезно болен воспалением легких, эвакуирован на самолете Слепнева, 67, 67М
С Куйбышевым и Каманиным в Москве, 76
Почетный список, 86-90, 86Р
Шпаковский Н.Н., аэролог, 18
Почетный список, 90
Шредер Людмила
Радистка на Уэлене, 69, 71Р
Орден Трудового Красного Знамени, 72
Шуша А.Д. корабельный плотник, Почетный список, 92

Э
Эвакуация 8 членов экипажа на мыс Северный, 33, 33Р
Экипаж «*Челюскина*», Почетный список, 90-92

Ю
Юганов А.И., плотник, Почетный список, 92
Юлев, А., кочегар, Почетный список, 92
Юнкерс-Ф-13
Летит на Врангель с базы на мысе Северный, 34, 34Р
В спас. команде №2, 52
Команда №2 летит на Ванкарем, 60, 60М
Полное описание, 61,61ММ
Фотография на Ванкареме, 70Р

Я
Ямал, современный ледокол, 84
Янсон Н.М., член чрезвычайной комиссии, 50

The Philatelic Tribute   Памятные почтовые марки

The achievement of the *Chelyuskin's* battle with the elements and the drama of the rescue of the 104 survivors from the Arctic pack ice was fully recognized by an attractive set of postage stamps issued in the Soviet Union in 1935. These are reproduced on the opposite page of these endpapers. Then in 1984, the fiftieth anniversary year of the rescue, the historic event was once again commemorated by the issue of three more stamps, illustrated below.

В 1935 году в память о борьбе «Челюскина» со стихией и драматическом спасении 104 путешественников из Арктических льдов была выпущена серия красивых марок почты СССР, которые изображены на следующей странице. А затем в 1984 году в честь пятидесятилетия этого исторического события были выпущены еще три марки, которые приводятся ниже.

The *Chelyuskin* and the route across the Arctic Sea.

«Челюскин» и его путь через Арктику.

The evacuation on to the pack-ice as the ship sinks

Спасение с тонущего корабля на лед.

To the rescue! The arrival of the first airplane.

Идем на помощь! Прибытие первого самолета.